EXERCICES DE GRAMMAIRE ESPAGNOLE

Gabriel VINCENT
Professeur agrégé
au Lycée Sainte-Geneviève
à Versailles

Bordas

ISBN 1re édition 2-04-016666-1
ISBN 2-04-019550-5

INTRODUCTION

Ce fascicule d'exercices grammaticaux a pour objet de familiariser l'utilisateur avec les principales structures de la langue espagnole. Il s'adresse aussi bien à l'hispanisant désireux de faire une petite mise au point qu'au lycéen ou à l'étudiant qui se prépare au baccalauréat ou aux concours d'entrée aux grandes écoles.

C'est pourquoi les exercices proposés dans cet ouvrage ont été diversifiés, aussi bien pour la forme (substitution, imitation, passage d'un discours à l'autre, test, questionnaire à choix multiple...) que pour le niveau des difficultés.

Bien que pouvant être utilisé indépendamment, ce recueil se réfère à la Grammaire espagnole [1] dont il suit l'ordre fidèlement. Dans le cas où une application porte sur plusieurs chapitres, un renvoi est fait à la grammaire avec la lettre G suivie du ou des numéros s'y rapportant.

Le vocabulaire choisi est volontairement simple, même lorsqu'il s'agit de textes d'auteurs espagnols, de façon à privilégier l'aspect morphologique ou syntaxique de la phrase. Enfin, une plus grande importance a été donnée à certains exercices (utilisation des modes de la conjugaison, rôle de la proposition subordonnée, emploi du subjonctif) qui sont les écueils les plus fréquents de la langue espagnole.

Tous les **corrigés des exercices** sont présentés dans la dernière partie du livret, p. 69.

---

1. *Grammaire espagnole*, par G. Vincent et J.-P. Duviols, Bordas, Paris, 1985.

EXERCICES

Les cinq premières leçons de la Grammaire espagnole *concernant l'alphabet et la ponctuation n'ont pas d'exercices correspondants. Nous commençons donc avec les exercices de la leçon 6.*

6. L'ACCENT TONIQUE

Accentuer convenablement les textes suivants :

« Otro dia me pregunto mi madre que era lo que yo pensaba hacer. Yo habia visto a Manolete. Empezo mas pobre y desgraciado que yo. Tu lo sabes. Y en poco tiempo se hizo millionario. Le compro una casa a su madre y un piano a su hermana. Amigos y admiradores le rodeaban siempre. Y la Prensa no hablaba mas que de sus triunfos. Un dia me arrime a el, incluso llegue a tocarle, y vi que era de carne y hueso como yo. Hablaba tan bien como cualquiera y de lo que todo el mundo. No tenia un cerebro extraordinario, como Einstein o como Garcia Lorca. Era sencillamente un hombre como yo y como tu, como todos... Y si el habia conseguido todo aquello sin ningun don especial, ¿ por que no habria de lograrlo yo tambien ? Asi que le conteste a mi madre que seria torero. Desde ese dia tuve que luchar con ella, pero al fin me sali con la mia. »

Angel María de LERA.

Aquel dia en el cafe que esta proximo a la Estacion del Este, Juan y Antonio cenaron con muchisimo apetito. Este pidio media botella de Jerez para acompañar los entremeses, y aquel solo bebio agua con gas. Tras una conversacion amistosa fertil en anecdotas, subitamente Juan se puso colorado y dijo con confusion, volviendose hacia su comensal : « Dime, Antonio, no se en que estoy pensando, pero me doy cuenta de que esta mañana me fui de casa de prisa, y aqui estoy sin ningun dinero, fijate ! No se donde tengo la cabeza, se me olvido tambien pasar por el Banco. Prestame dos mil pesetas, porque sin ti no se que hacer. Te las devolvere lo antes posible, creeme ». Antonio se rio : « Devuelvemelas cuando puedas, dijo prestandole la cantidad solicitada, eso no tiene importancia... » Y, con algun tono de burla añadio : « No te cobrare ningun interes, no es mi caracter ».

7. L'ARTICLE DÉFINI

A. Mettre au singulier les phrases suivantes :

1. Los bigotes de los profesores.
2. Las chimeneas de las casas.
3. Hablamos a los directores.
4. Lo diremos a las secretarias.
5. Las actuaciones de los artistas.

B. Mettre au pluriel les phrases suivantes :

1. La hija del doctor.
2. El periódico de la semana pasada.
3. Contesta a la pregunta.
4. La clave del enigma.
5. La mano del cirujano.

7-8-9. L'ARTICLE DÉFINI

A. Employer, lorsque c'est nécessaire, l'article qui convient :

1. Iré a visitarte ... sábado entre ... una y ... dos de la tarde.
2. ... ave negra se encaramó en ... haya frondosa de la colina.
3. Saliendo ... Palacio, ... Rey asistió a ... misa de ... once.
4. A ... 18 años un joven es mayor de edad.
5. Mi hijo estudia ... álgebra y ... aritmética.
6. ... secretaria dijo ... señor Pérez : ... señor Director, le ha llamado ... señor Presidente a ... tres de ... tarde.
7. No sorprendió a nadie ... que le hubieran mandado ... paseo.
8. Nos gustó mucho nuestra vuelta a ... Italia. Visitamos ... Piamonte y ... Toscana artística.
9. Entre ... monumentos ... más famosos, ... torre Eiffel es ... edificio ... más visitado.

B. Mettre au singulier les phrases suivantes :

1. Las águilas negras anidan en las cumbres de las altas sierras.
2. Se dice que las Adelas tienen las almas cándidas.
3. Las amapolas rojas crecen cerca de las aguas de los arroyuelos.
4. Las amas de casa tienen a veces las actividades más ingratas.
5. A las americanas también les gustan las armas en las películas del Oeste.

6. Los ladrones disimularon las alhajas en las arcas profundas.
7. La hachas de los leñadores cortaron los troncos de las hayas.
8. Las astas afiladas de los toros son unas amenazas terribles para el torero.
9. Las hadas aparecieron detrás de los árboles de las alamedas.

10. OMISSION DE L'ARTICLE DÉFINI

Traduire :

1. Ce diplomate a résidé au Pérou, en Équateur et en Bolivie.
2. Le Mulhacen est le pic le plus haut d'Espagne.
3. Les criminels les plus dangereux étaient envoyés au bagne.
4. J'ai visité l'Italie, l'Allemagne, la Suisse et les États-Unis.
5. La reine sortit du palais pour aller à la messe.
6. Cet aventurier a vécu au Mexique, au Pérou et au Japon. Il part demain pour l'Allemagne de l'Est.

11. L'ARTICLE NEUTRE « LO »

A. **La película se cortaba en el momento más emocionante ——→ La película se cortaba en *lo* más emocionante.**

D'après ce modèle, transformer les phrases suivantes :

1. Muchos espectadores reían en el momento más dramático.
2. Sólo ves el aspecto agradable del espectáculo.
3. No te fijes en el aspecto comercial de esta película.
4. La cosa que más me gustaba era ir al cine.
5. Habían colocado carteles en la parte alta del edificio.
6. La parte más delicada del español es la gramática.
7. Estoy todavía preocupado por lo que pasó el año pasado.
8. No hay que lamentar las cosas que han sido hechas.

B. **¡ No puedes saber cuánto son simpáticos estos chicos ! ——→ ¡ No puedes saber *lo* simpáticos que son estos chicos !**

D'après ce modèle, transformer les phrases suivantes :

1. Es difícil decir cuánto esta chica es guapa.
2. ¡ Date cuenta cómo el tiempo está lluvioso hoy !
3. ¡ Mira, qué caras están las alcachofas hoy !

4. ¡Fíjate cuánto son ricos estos empresarios!
5. No es fácil imaginar cómo nuestras vacaciones fueron desagradables.
6. Me acuerdo de que su conversación era amistosa.

12-13-14. L'ARTICLE INDÉFINI

Employer ou non, suivant les cas, l'article indéfini dans les phrases suivantes :

1. El buitre es ... ave de rapiña.
2. ¡Vuelva Usted ... otro día!
3. De ... trago se bebió ... media botella de vino.
4. Después de ... tan fuerte emoción, se quedó atónito.
5. Esta señora debe de tener ... cincuenta años.
6. Su novia le ofreció ... gemelos de oro.
7. En ... semejante ocasión, hay que actuar con ... cierta precaución.
8. Había en el pueblo ... cuantas tabernas.
9. Con ... gran amistad Juan me dio ... fuerte palmada en el hombro.
10. ... hacha puede ser ... herramienta muy útil como ... arma terrible.
11. Cuando conduce a ... tal velocidad se siente ... otro hombre.
12. Hace ... días me comí ... kilo de carne.
13. Iré a verte ... cualquier día para tener contigo ... hora de conversación.
14. Era ... hombre cualquiera. Tendría ... sesenta años. Llevaba ... zapatos de charol.

15-16-17-18-19. LE NOM ET L'ADJECTIF

A. *Mettre au féminin les phrases suivantes :*

1. El director es amable, acogedor y cortés.
2. Este obrero es trabajador, competente y hábil.
3. El profesor es catalán, de padre andaluz.
4. Nuestro doctor es un hombre bonachón, bastante regordete.
5. El atleta es un muchacho joven y musculoso.
6. El Superior del convento es un hombre superior.

B. *Mettre au singulier :*

1. Los importantes intereses de los bancos ingleses.
2. Las canciones tristes de los poetas bretones.
3. Los factores económicos actuales y los problemas industriales.

4. Estos andaluces tienen voces muy graves.
5. Los tiburones son peces muy feroces.
6. Los análisis permitieron descubrir los focos de las enfermedades.

C. Mettre au pluriel :

1. El hijo del marqués es holgazán, descarado y respondón.
2. El bar de la ciudad sirve un café muy rico.
3. El capataz desempeña un papel difícil en la gran hacienda.
4. El rajá pasa sus vacaciones en el hotel suizo.
5. El delegado marroquí fue acogido por el ministro sudanés.
6. El jueves era el día de recepción del embajador israelí.

D. Mettre au masculin :

1. La poetisa japonesa era una profesora reservada y humilde.
2. La artista española es una cantante conocida.
3. Fue una enemiga infiel, engañosa y traidora.
4. La reina anglosajona tenía una confidente habladora y taimada.
5. La emperatriz alemana aplaudió a la actriz irlandesa.
6. La bailarina argentina es amiga de la doctora.

19. PLURIEL DU NOM ET DE L'ADJECTIF

Mettre au pluriel :

1. El pez nada en el río, en el rincón donde el agua es profunda.
2. El jabalí es un animal feroz y rencoroso.
3. El tisú gris del jubón del gentilhombre.
4. El lápiz azul sirvió para escribir la canción.
5. El juez examinó el rubí abandonado por el ladrón.
6. La crisis económica afecta el sector agrícola e industrial.
7. Este joven tiene una mirada vivaz e inteligente.
8. El dominó es un juego apreciado por el viejo maestro.
9. Cualquiera que sea la dificultad, el arquitecto iraní la resuelve.
10. La maestra, que era muy cortés, le pareció una mujer superior.
11. El poeta alemán hará una conferencia el miércoles.
12. El convoy militar pasa por el arrabal de la gran ciudad.
13. El joven papá espera a su hijo a la salida del colegio.

20-21. LES DIMINUTIFS

Donner le diminutif le plus courant des mots suivants :

1. mozo	10. amiga	19. trozo	28. niña
2. Luis	11. rey	20. bajo	29. lección
3. señora	12. cerca	21. doctor	30. pie
4. huevo	13. árbol	22. joven	31. papel
5. ahora	14. Carmen	23. mesa	32. libro
6. hombre	15. pastor	24. mano	33. rapaz
7. coche	16. flor	25. luz	34. cuerno
8. pan	17. liebre	26. perro	35. papá
9. viento	18. calor	27. tren	36. vapor

23. SUFFIXES EXPRIMANT L'IDÉE D'UN COUP DONNÉ

Employer les suffixes qui conviennent dans les phrases suivantes :

1. El pintor añadió un(a) (pincel) a su lienzo.
2. El cazador se abrió camino a (codos) y a (puños).
3. Era un viejo soldado que había recibido más de un (sable).
4. El toro se desplomó tan pronto como recibió el (la) (estoque).
5. El pobre chico se dio un(a) (martillo) en el dedo.
6. En la lejanía se oían (balas) y (cañones).
7. El soldado había sido herido a (puñal).
8. Sc oyeron fuertes (puerta) tan ruidosos como (fusil).

24. SUFFIXES COLLECTIFS

1.	Un lugar plantado de	arroz es un ...
2.	____	patatas es un ...
3.	____	pinos es un ...
4.	____	encinas es un ...
5.	____	castaños es un ...
6.	____	robles es un ...
7.	____	manzanos es un ...
8.	____	fresnos es un ...
9.	Un lugar donde hay	muchas piedras es un ...
10.	____	mucho lodo es un ...
11.	____	muchas zarzas es un ...
12.	____	mucho barro es un ...
13.	____	muchas cañas es un ...

25-26. LES COMPARATIFS

A. *Compléter les phrases suivantes :*

1. Los Pirineos no son ... altos ... los Alpes.
2. El Ecuador no tiene ... petróleo ... Méjico.
3. El león no es ... rápido ... la gacela.
4. Me da igual : me gusta ... ir al cine ... al teatro.
5. Portugal tiene ... superficie ... España.
6. A veces, hace ... calor en España ... en Africa.
7. ... vale pájaro en mano ... ciento volando.
8. Argentina exporta ... carne ... consume.
9. Parece ... viejo ... es realmente.
10. Pedro trabaja ... ... afirma.
11. No hemos tenido ... cosechas ... el año pasado.
12. No sé trabajar ... rápidamente ... tú.
13. Miente un poco, sus resultados son ... buenos ... suele decir.
14. Esta tienda no tiene ... buena fama ... la de enfrente.
15. El problema me pareció ... difícil ... dijo el profesor.
16. Enrique compró un coche ... barato ... tiene Juan.

Tanto monta, monta tanto
Isabel como Fernando.

B. Traduire :

1. Je n'ai pas autant de patience que toi.
2. Vu de près, il est moins grand que je ne croyais.
3. Nous serons mieux dans la salle à manger que dans la cuisine.
4. Ils sortirent aussi vite qu'ils étaient entrés.
5. J'essaierai de traduire ce texte aussi fidèlement que je pourrai.
6. Viens me voir autant de fois que tu voudras.
7. Nous ne pouvons pas sortir autant que nous le voudrions.
8. Elle a de meilleurs résultats que ceux qu'elle avait l'an dernier.
9. L'or vaut beaucoup plus que l'argent.
10. Je bois autant de vin que d'eau.
11. Ce problème est beaucoup plus facile qu'il ne paraît.
12. Le frère aîné lui a donné plus de soucis que le plus jeune.
13. Il n'y aura pas autant de monde que l'année dernière.
14. Ce chasseur est moins adroit qu'il ne prétend.
15. Il est aussi sot que prétentieux.

27. TRADUCTION DE « AUTANT ... AUTANT »

Traduire :

1. Autant d'enfants, autant de problèmes.
2. Autant d'excès de vitesse, autant d'accidents.
3. Autant Louis est travailleur, autant son frère est paresseux.
4. Autant je l'ai admiré autrefois, autant je le méprise maintenant.
5. Autant la mère est jolie, autant la fille est laide.
6. Autant le Nord est vert, autant le Sud est désertique.
7. Autant j'aime mon père, autant je le crains.
8. Autant d'amis, autant de joies.

28. TRADUCTION DE « PLUS ... PLUS », « MOINS ... MOINS »

A. Compléter les phrases suivantes :

1. ... dificultades encuentra, ... le agrada resolverlas.
2. ... culto es, ... modesto se muestra.
3. ... dormimos, ... sueño tenemos.
4. ... se desarrolle la robótica, ... paro habrá.
5. ... suerte tiene, ... le envidian sus amigos.
6. ... amigos tiene, ... abandonado se siente.
7. ... se dedica a su trabajo, ... descuida a su familia.
8. ... ricos son, ... tristes parecen.
9. ... vacaciones tenemos, ... queremos tener.
10. Es un sabio : ... dinero tiene, ... feliz se siente.

B. Traduire :

1. Plus il voyage, plus il veut voyager.
2. Plus ses parents vieillissent, plus il les aime.
3. Moins il y a de difficultés, plus il fait d'erreurs.
4. Moins nous travaillons, moins nous voulons travailler.
5. Moins tu mangeras, mieux tu te porteras.
6. Moins tu parleras, moins tu diras de bêtises.
7. Plus nous sommes vieux, plus nous avons d'expérience.
8. Plus il fait chaud, plus il devient nerveux.
9. Plus il a de livres, moins il lit.
10. Moins il a de ressources, plus il aime dépenser.

29. TRADUCTION DE « AUTANT PLUS ... QUE », « D'AUTANT MOINS ... QUE »

A. **Hace progresos, posee facilidades ⟶ Hace tantos más progresos cuantas más facilidades posee.**

D'après ce modèle, transformer les phrases suivantes :

1. Leía con pasión, le prestaban libros.
2. Corre con velocidad, es joven.
3. Habla con precipitación, es nervioso.
4. Trabaja con mucho ardor, le pagan bien.
5. Come con apetito, su madre es buena cocinera.
6. Progresa sin esfuerzos, es muy inteligente.
7. Compra pocos tebeos, su familia es numerosa.
8. Merece la victoria, ha tenido muchas dificultades.
9. Le pareció famosa la cerveza, tenía mucha sed.
10. Tenía impaciencia para llegar, tenía poca gasolina.

B. Compléter les phrases suivantes :

1. Caminaba con ... pena ... cansado estaba.
2. Hablada con ... prisa ... dificultades tenía para expresarse.
3. Trabajaba con ... ardor ... resultados obtenía.
4. Bebe ahora ... agua ... vino bebía antes.
5. Consumimos ... carbón ... reservas de leña tenemos.
6. Afirma las cosas con ... convicción ... argumentos tiene.
7. Estoy ... contento ... días de vacaciones voy a tener.
8. Hace ... frío ... peor funciona la calefacción.
9. Se apegan a la tierra con ... ardor ... dura es.
10. Robaba con ... escrúpulos ... ricos eran los dueños.

C. Traduire :

1. Je suis d'autant plus triste que nous sommes en hiver.
2. Nous sommes d'autant plus ravis que nos parents nous accompagneront.
3. Il faut que je m'en aille, d'autant plus qu'on m'attend.
4. Je le trouve sympathique d'autant plus qu'il est mon cousin.
5. Je me sens d'autant plus soulagé qu'il y aura un docteur avec nous.
6. Il était d'autant moins fier qu'on l'avait surpris en train de voler.
7. Il aurait dû partir plus tôt, d'autant plus que je l'avais prévenu.
8. Je me sens d'autant moins à l'aise que je ne suis pas chez moi.

30. LE SUPERLATIF RELATIF

Compléter les phrases suivantes par un article (lorsque c'est nécessaire), et par la forme verbale qui convient (verbe proposé à l'infinitif) :

1. Es ... día más caluroso que (tener) este mes.
2. ... panadería del pueblo es ... tienda más moderna de todas.
3. ... mejor película que nunca (ver) era ... de Fellini.
4. Es ... menor cosa que (poder) hacer para él.
5. Méjico es ... gran ciudad, ... ciudad ... más poblada de América Latina.
6. Diciembre había sido ... mes ... peor que (conocer).
7. Nuestros vecinos son ... personas más amables que se (poder) imaginar.
8. ... pinturas de Velázquez me parecen ... obras ... más representativas del Siglo de Oro.
9. Es ... museo ... menos interesante que nunca (visitar).
10. ... día ... más largo del año es el 21 de junio.
11. Juan es ... mejor estudiante de la Universidad ; es ... chico ... menos vanidoso que yo (conocer).
12. Para mí, la situación ... peor, ... situación ... más trágica, es no tener amigos.

31. LE SUPERLATIF ABSOLU

A. **Aquel propietario es un señor muy rico ——→ aquel propietario es un señor *riquísimo*.**

Mettre au superlatif les adjectifs soulignés, d'après le modèle :

1. Ha escrito un artículo interesante sobre la situación económica de la región.
2. Con este sombrero Rosita está guapa.
3. La última interrogación me pareció fácil.

4. Esta secretaria no me parece eficaz.
5. Es difícil hacer una obra divertida.
6. El corregidor era una persona notable del lugar.
7. Al entrar en el comedor la señora notó un olor acre.
8. Nos sirvieron un café rico.
9. Es gente amable.
10. Las relaciones entre vecinos eran simpáticas.
11. Estamos encantados de tu invitación.
12. Con este tiempo, me siento feliz hoy.

B. Donner le superlatif correspondant aux adjectifs suivants :

1. muy pequeño	5. muy modesto	9. muy alta	13. muy inteligente
2. muy feroz	6. muy capaz	10. muy pobre	14. muy libre
3. muy agradable	7. muy miserable	11. muy seco	15. muy blanca
4. muy valiente	8. muy célebre	12. muy baja	16. muy ancha

32-33. L'APOCOPE

A. Voici une liste de mots :

algún - alguna - alguno - buen - bueno - ciento - cien - cualquiera - cualquier - grande - gran - malo - mal - ninguno - ningún - primero - primera - primer - recientemente - recién - santo - san.

Placer chacun d'eux à la place qui lui revient dans les phrases :

1. ¡Qué suerte! No tenemos ... trabajo que hacer para mañana.
2. Pero es posible que el profesor nos dé ... preparación para la semana que viene.
3. Con su pantalón ... planchado, el novio avanzaba con ... timidez.
4. Para los españoles, el martes es un día ..., un día de desgracias y de ... agüero.
5. La iglesia ha sido construída ... ; su ... Patrón es ... Pablo.
6. Aquel edificio ... que ves allí tiene más de ... años.
7. ¡No digas ... cosa! Reflexiona un poco antes de hablar.
8. No he leído ... de estos libros; si hay uno ..., préstamelo.
9. El decano del pueblo tenía ... dos años y no padecía achaque ...
10. ... que sea el tiempo, iré a verte; espero que será ... día próximo.
11. Vaya usted hasta el semáforo y, después, doble a la derecha hasta la ... bocacalle.
12. El Rey de Francia Francisco ... fue el principal enemigo de Carlos Quinto.
13. El ... libro de este escritor ha sido immediatamente un ... libro.

B. Placer dans les phrases suivantes, selon le besoin, la forme normale ou apocopée des mots proposés :

1. **Alguno, os, a, as** ou **algún**
¿Tienes ... bolígrafo o ... pluma que prestarme? ¿... de vosotros puede ayudarme?

2. **Bueno, os, a, as** ou **buen**
Entre los ... amigos que tengo, él se puede llamar un ... amigo, con un corazón verdaderamente ...

3. **Cualquiera, cualquier**
No es un hombre ... y no dice ... cosa.

4. **Malo, os, a, as** ou **mal**
Era un ... día, todo me parecía ... : ... el tiempo, ... la situación, ... los negocios.

5. **Ninguno, os, a, as** ou **ningún**
No tengo ... idea de lo que vamos a hacer; estoy seguro de que ... de las personas presentes lo sabe tampoco.

6. **Ciento** ou **cien**
... pesetas no valen ... francos; tampoco lo valen ... cincuenta pesetas.

7. **Uno, os, a, as** ou **un**
—¿Tienes ... diccionario? — Sí, tengo ... — ¿Y ... hoja de papel? — Sí, tengo ...

8. **Recientemente** ou **recién**
Han inaugurado ... la nueva exposición; la sala, ... pintada, pudo acoger a los artistas que eran ... llegados en el pueblo.

9. **Grande** ou **gran**
El ... poeta vive en un casa ... de la ... Vía, cerca de un ... restaurante.

10. **Primero, os, a, as** ou **primer**
Hubo una gran ceremonia el ... día del mes; en ... fila venían el ... Ministro y el Alcalde.

11. **Santo, os, a, as** ou **San**
El 2 de noviembre es la celebración de todos los ..., de ... Juan como de ... Tomás, de ... Domingo como de ... Miguel. Claro que también se celebra a las ..., ... Ana igual que ... Catalina.

12. **Tanto, os, a, as** ou **tan**
El más joven no es ... alto como el mayor; sin embargo, tiene ... vigor como él y ... cortesía.

34-35-36-37. LA NUMÉRATION

A. Écrire en toutes lettres les nombres écrits ici en chiffres :

1. 711 et 1492 son fechas importantes en la historia de España.
2. Cervantes nació en 1547 y murió a los 69 años.
3. 200 000 dólares ; 502 479 pesetas ; el año 1986.
4. El famoso Dos de Mayo corresponde al año 1808.
5. 909 999 francos ; 77 707 liras.
6. En 1981, había unos 37 800 000 habitantes en España.

B. Compléter, suivant le cas, par un adjectif cardinal ou ordinal ou par une fraction (en toutes lettres) :

1. Se dice del Escorial que es la 8ª maravilla del universo.
2. El rey de Francia Luis XIII fue el gran enemigo de Felipe IV.
3. Los 2/3 de la población del mundo no comen suficientemente.
4. Felipe II vivía en el siglo XVI.
5. Este mapa está a la escala de 1/100 000.
6. Nos dieron los resultados del concurso : soy el 3 622.
7. Sólo con 1/50 de la fortuna de este señor, me sentiría satisfecho.
8. Los 7/8 de la ciudad han sido devastados.
9. Fernando VII es el hijo mayor de Carlos IV.
10. Un grado representa 1/360 de la circonferencia.
11. Luis XIV de Francia era el yerno de Felipe IV de España.
12. El centímetro es la 1/100 parte del metro ; el milímetro es la 1/1 000 parte.

C. Traduire :

1. Tous les membres de la famille reçurent chacun une lettre.
2. Les nageurs avancèrent entre deux eaux.
3. Les deux piétons interrogèrent l'agent ; celui-ci répondit à tous les deux.
4. Les soldats défilaient avec chacun son fusil.
5. Il y avait une cinquantaine de maisonnettes près de la rivière.
6. Sur les deux rives du fleuve se promenaient des gens endimanchés.
7. Ces deux frères sont jumeaux ; tous les deux sont roux.
8. Les manifestants couraient, chacun avec son petit drapeau.

38-39. LES POSSESSIFS

A. Mettre l'adjectif ou le pronom possessif qui convient dans les phrases :

1. Amad a ... prójimos.
2. Un amigo ... ha preguntado por ti durante tu ausencia.

3. Los soldados deben obedecer a ... superiores.
4. Este paraguas es ..., señora, no es el de ... marido.
5. Es un egoísta, no piensa más que en lo ...
6. Tenemos ... motivos y sin duda tenéis ...
7. Esta grabadora no es ..., señor, es la de ... colega.
8. Siento mucho decírselo, señores, pero ... modales no me gustan.
9. No te metas en lo ..., no me meteré en lo ...
10. Compañeros, el Director os espera para que le digáis ... opiniones y ... deseos sobre el caso.
11. Niños, estos juguetes no son ... Jugad con ... bicicletas que están allí.
12. Siéntese cada uno en ... silla. Esta es ..., señora.
13. Aprende ... lección ; ... , la sé ya.
14. Créanos, querido amigo : estos cigarrillos son ..., no son ...

B. **¿ Se escaparon las gallinas del granjero ?**
—Sí, *se le* escaparon.

Modifier les phrases suivantes selon ce modèle :

1. ¿ Se murió el marido de mi vecina ?
2. ¿ Se estalló nuestro neumático durante el viaje ?
3. ¿ Se presentó a nuestra vista un espectáculo extraordinario ?
4. ¿ Ha pasado por su cabeza alguna idea extraña ?
5. ¿ Las lágrimas se escurrían por su cara ?
6. ¿ Se ha caído el pelo de usted ?
7. ¿ Se han acabado las cerezas de vuestro huerto ?
8. ¿ Enfermó vuestra hija menor ?
9. ¿ Nuestro perro se escapó del jardín ?
10. ¿ Salió la escena de tu memoria ?
11. ¿ Se han arrugado sus facciones ?
12. Tu mal humor, ¿ ha pasado ?
13. ¿ Subió a su cabeza un color súbito ?
14. ¿ El techo de vuestra casa se vino abajo ?

40-41. Les démonstratifs

A. Choisir le mot qui convient :

<table>
<tr><td>1. ¿ De</td><td>quien
cuál
quién
cuyo</td><td>son</td><td>aquéllas
esas
estos
éstas</td><td>gafas que están allí ?</td></tr>
</table>

<table>
<tr><td>2.</td><td>Éste
Ése
Aquel
Eso</td><td>pico que se divisa en la sierra,</td><td>¿ cuál
¿ que
¿ quién
¿ dónde</td><td>es ?</td></tr>
</table>

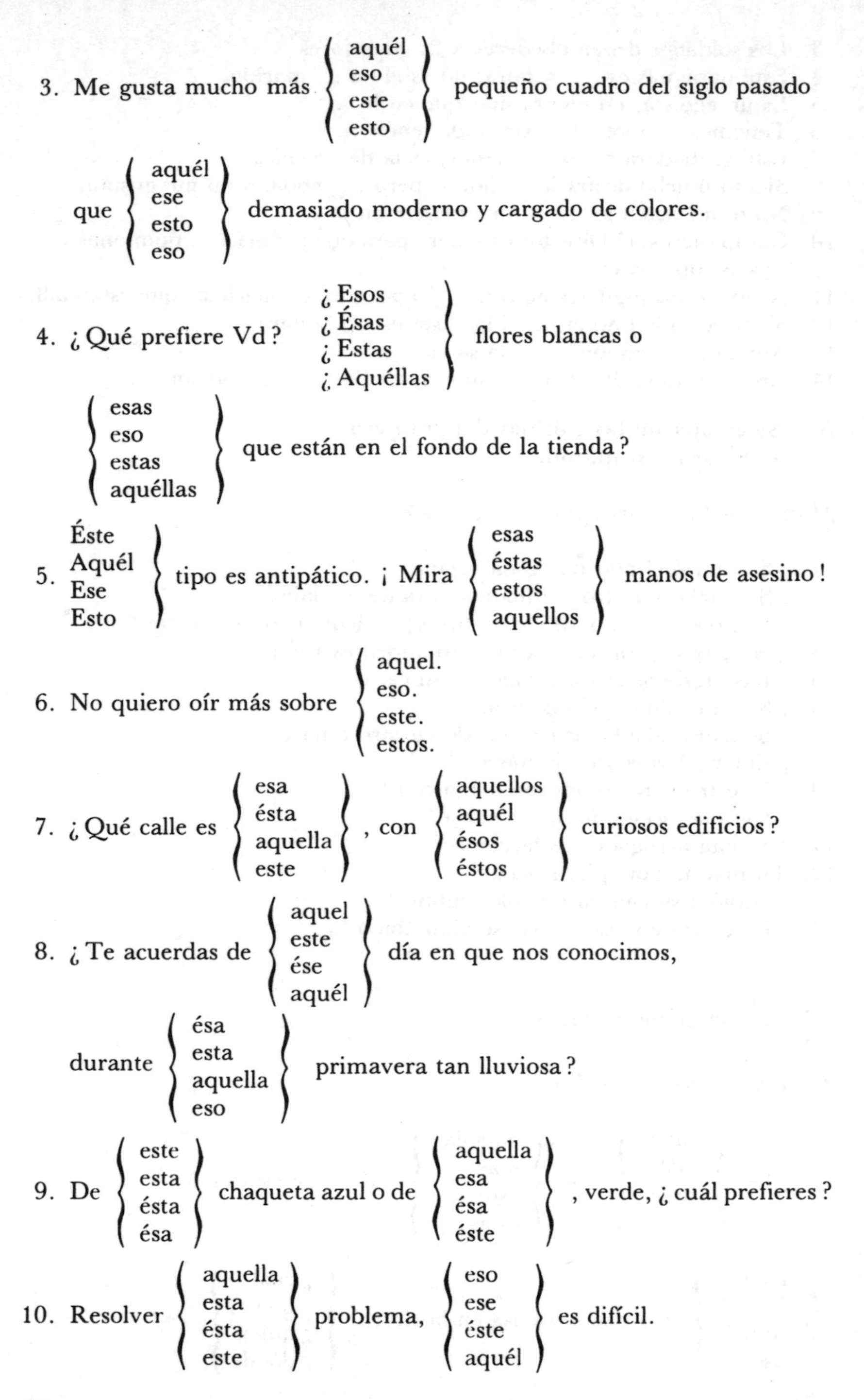

3. Me gusta mucho más { aquél / eso / este / esto } pequeño cuadro del siglo pasado que { aquél / ese / esto / eso } demasiado moderno y cargado de colores.

4. ¿ Qué prefiere Vd ? { ¿ Esos / ¿ Ésas / ¿ Estas / ¿ Aquéllas } flores blancas o { esas / eso / estas / aquéllas } que están en el fondo de la tienda ?

5. { Éste / Aquél / Ese / Esto } tipo es antipático. ¡ Mira { esas / éstas / estos / aquellos } manos de asesino !

6. No quiero oír más sobre { aquel. / eso. / este. / estos. }

7. ¿ Qué calle es { esa / ésta / aquella / este }, con { aquellos / aquél / ésos / éstos } curiosos edificios ?

8. ¿ Te acuerdas de { aquel / este / ése / aquél } día en que nos conocimos, durante { ésa / esta / aquella / eso } primavera tan lluviosa ?

9. De { este / esta / ésta / ésa } chaqueta azul o de { aquella / esa / ésa / éste }, verde, ¿ cuál prefieres ?

10. Resolver { aquella / esta / ésta / este } problema, { eso / ese / éste / aquél } es difícil.

B. Mettre au pluriel, quand cela est possible, les adjectifs et pronoms démonstratifs soulignés :

1. Este señor es más moreno que aquél.
2. Ese teatro está más lejos que éste.
3. Aquel día fue más lluvioso que éste.
4. Aquello no me gustó, esto me parece mejor.
5. Prefiero vivir en esta ciudad que en ésa.
6. Eso no vale nada.
7. Este árbol es más alto que ése.
8. Aquella montaña tiene más nieve que ésta.
9. Este guante es mío ; el de Juan es aquél.
10. Dime lo que has hecho esta tarde con ese tío.

42-43-44-45. TRADUCTION DE «C'EST»

A. Compléter les phrases suivantes :

1. ... Sebastián El Cano ... dio la vuelta al mundo por primera vez.
2. En Tordesillas ... ... se firmó el famoso tratado.
3. En diciembre ... ... hay los días más cortos.
4. Zambulléndose en el agua, así ... ... se pescan las ostras.
5. ... a orillas del río Tormes ... nació Lazarillo.
6. Tendido en la playa, allí ... ... lo encontrarás.
7. ... anteayer ... la encontré.
8. ... con mucho placer ... nos acogieron.
9. ... los que prometen mucho ... no cumplen con su palabra.
10. ... por los años cincuenta ... recibí su última carta.
11. ... las perlas mayores ... tienen más valor.
12. ... con gran aplicación ... terminará su tarea.
13. No ... nosotros los responsables.
14. No ... yo ... lo dije ; ... ellos.
15. ¿ Quién lo ha repetido ? ¿ ... tú o ... vosotros ?
16. ... de eso ... hablamos todo el día.
17. Por ella ... ... lo hago.

B. Traduire les phrases suivantes :

1. C'est lui le dernier, c'est moi le premier.
2. C'est nous qui nous levons le plus tôt en vacances.
3. N'est-ce pas toi qui as gagné la partie de tennis ?
4. Ce sont les Portugais qui se sont installés au Brésil.
5. Ce n'est pas à vous, Madame, que je mentirais.
6. Est-ce vous, les enfants, qui avez cassé la vitre du salon ?

C. **¿ Quién llamó a la puerta ? - La portera**
———→ Fue la portera la que (quien) llamó a la puerta.

D'après ce modèle, répondre aux interrogations suivantes :

1. ¿ Dónde están mis pañuelos ? - En el cajón del armario.
2. ¿ Quién te ayudó para empapelar el salón ? - Un vecino.
3. ¿ De quién estábais hablando ? - De ti.
4. ¿ Cuándo terminas la carrera ? - En junio.
5. ¿ A quiénes escribiste anoche ? - A mis abuelos.
6. ¿ Cómo te acogió el nuevo director ? - Con mucha amabilidad.
7. ¿ Quién le acompaña hasta su despacho ? - Yo.
8. ¿ A dónde se dirigieron los motoristas ? - Hacia el cementerio.
9. ¿ Por qué le contestaste tan duramente ? - Porque me sentía nervioso.
10. ¿ A quién te diriges para tener la información ? - Al guardia.
11. ¿ Cuál es el pájaro que anuncia la primavera ? - La golondrina.
12. ¿ Quién cena con nosotros esta noche ? - Nuestro tío Juan.
13. ¿ Quién le acompañará a la estación ? - Nosotros.
14. ¿ Dónde fue descubierto el esqueleto ? - En las excavaciones.
15. ¿ Por dónde pasas para ir al colegio ? - Por la Calle Mayor.
16. ¿ Cuál es el animal que te da más miedo ? - La serpiente.
17. ¿ De qué habéis hablado en clase ? - Del nuevo bachillerato.
18. ¿ Por qué no te sientas ? - No estoy cansado.
19. ¿ Cuándo se jubilará el general ? - Dentro de dos años.
20. ¿ Cómo se puede llegar al pueblo ? - Tomando este camino.

46. TRADUCTION DE « VOICI », « VOILÀ »

Traduire :

1. Voilà le printemps !
2. Voici ce que je te dois.
3. Regarde, voilà ton frère !
4. Voilà qui est du bon travail !
5. Me voici !
6. Voilà ta veste, voici la mienne.
7. Voici mes raisons ...
8. Voilà le facteur !

47-48-49-50. LES RELATIFS

Utiliser convenablement les relatifs ***que, quien, el cual, lo que, el que, cuanto*** *avec les prépositions nécessaires dans les phrases :*

1. Adolfo tiene un gato ... no maúlla nunca.
2. No creo nada de ... me has dicho.

3. Te voy a enseñar el libro ... acabo de leer.
4. Reúne a ... personas encuentres en el despacho.
5. La secretaria ... ... me dirigí no supo contestarme.
6. La catedral, en ... había una cripta visigótica, estaba llena de turistas.
7. No sé ... ir de vacaciones este verano.
8. Aquel colega ... ... te hablé me invita esta noche.
9. Pedro fue ... preguntó por ti.
10. La calle hacia ... te diriges está totalmente atascada.
11. Sabré convencer a ... me escuchen.
12. Tenía muchos amigos ... ... yo conocía también.
13. La madre llamó tres veces al niño, ... no quiso obedecer.
14. Me gusta este plato de porcelana ... ... estás comiendo.
15. ... no ha visto a Granada no ha visto nada.
16. ... me decía él me parecía de perlas.
17. Corrió la cortina detrás de ... se disimulaba la rata.
18. Los miré sin pestañear, después de ... me fui.
19. ... tuviera veinte años!
20. Es mullido este sofá ... ... estoy sentado.
21. Estos jugadores de tenis, ... están hablando actualmente con el árbitro, son los campeones del club.
22. La chica con ... saliste es muy guapa.
23. Son personas por ... siento mucha simpatía.
24. ... me gusta en él es su franqueza.
25. Fue Nuñez de Balboa ... descubrió el Mar del Sur.

51. TRADUCTION DE «DONT» PAR CUYO ...

El curare es una planta ; sus raíces son venenosas.
——→ **El curare es una planta *cuyas* raíces son venenosas.**

D'après ce modèle, relier les deux parties de la phrase par le relatif qui convient :

1. Es un autor poco conocido ; sus obras no han sido nunca editadas.
2. Toma este medicamento ; sus efectos son sorprendentes.
3. Es un nuevo colega ; no sé su nombre todavía.
4. Mira esta casa ; sus ventanas están adornadas de flores.
5. Tiene un coche nuevo ; su motor es de quince caballos.
6. Era una iglesia del siglo XV ; sus campanas habían desaparecido durante la guerra.
7. El Canadá es un gran país ; sus habitantes son muy acogedores.
8. Pronunció unas palabras ; su sentido me pareció oscuro.
9. Era un extranjero ; eran curiosos sus modales.
10. Quería escribir a su primo ; no recordaba su dirección.
11. Fuimos recibidos por el alcalde ; nos encantó su amabilidad.
12. Cruzó una calle ; su anchura le asombró.
13. Pasaron a nado el río ; no conocían su profundidad.
14. Era un cielo de noviembre ; sus nubes no dejaban pasar el sol.
15. La isla era un paraíso ; sus perfumes nos embriagaban.

52. PRÉPOSITION + CUYO ...

Même exercice que précédemment. Attention à l'emploi de la préposition !

1. Es un árbol poco frondoso ; entre sus ramas se ve el pueblo.
2. Sigue hasta la iglesia ; a su izquierda verás una tienda de ultramarinos.
3. Visitamos una casa andaluza ; en su zaguán vimos magníficos azulejos.
4. Zamora es una ciudad histórica ; bajo sus murallas combatió el Cid.
5. Es un sinvergüenza ; no me fío de sus palabras.
6. Granada es una perla ; en sus jardines se respira el perfume del azahar.
7. San Gregorio de Valladolid es también un museo ; dentro de sus muros están magníficas obras policromadas.
8. Es difícil la lengua vasca ; de sus orígenes sabemos poco.
9. Es un viejo caserón ; sobre sus paredes han fijado carteles.
10. Es un coto de caza ; fuera de sus límites se ven toros de lidia.
11. Se acercó a la ventana ; se distinguía el jardín detrás de sus cristales.
12. En la niebla apareció la mole de la montaña ; a su pie se vislumbraba el pueblecito.
13. Era una fábrica de cerámica ; la chimenea husmeaba por encima de sus tejados.
14. Aquí está el garaje ; por su ventana es escapó el ladrón.
15. Desfiló todo el regimiento ; a su cabeza iba un coronel.

« En un lugar de la Mancha de cuyo nombre no quiero acordarme... »

53. TRADUCTION DU RELATIF « OÙ »

Traduire les phrases :

1. Voici le village où j'ai passé mes vacances.
2. C'est l'heure où passe le train.
3. C'est l'heure où les troupeaux rentrent.
4. Il avança vers où il avait entendu du bruit.
5. Pourrai-je sortir de la situation où je suis ?
6. Le cinéma où l'on projette des westerns.
7. Dis-moi par où tu es passé.
8. C'est le lit où il est mort.

54-55-56. LES PRONOMS PERSONNELS

A. Dans les phrases qui suivent, ne traduire que les pronoms soulignés, en respectant leur fonction (sujets, compléments directs ou indirects) :

1. Je te répète que j'espère te voir la semaine prochaine.
2. Madame, vous ai-je dit que j'aimerais vous revoir ?
3. Il faut que vous obéissiez, les enfants ; sinon, vous irez vous coucher sans dessert.
4. Quand vous vous serez assis, Mesdames et Messieurs, nous pourrons vous dire combien il nous plaît de vous accueillir ici.
5. Il me regarda et se mit à me parler ; je ne sus que lui répondre.
6. Viens avec moi ; je t'expliquerai comment il faudra leur répondre.
7. Jeanne est amoureuse de Paul et ne parle que de lui. Mais lui, l'égoïste, ne pense qu'à lui-même.
8. Si vous vous pressez, les enfants, vous verrez votre grand-père ; dites-lui que je voudrais lui parler et le remercier.
9. Vous vous moquez de nous, Monsieur ; nous vous avons déjà dit que nous ne voulions plus vous rencontrer ici.
10. Après vous, Madame, je vous prie de vous servir, vous me ferez plaisir.
11. Avec toi ou sans toi, tu le sais, il fera ce qu'il a décidé.
12. Nous vous connaissons, vous, Monsieur. N'êtes-vous pas notre nouveau voisin ?
13. Près de vous, amis, tout nous semble meilleur, nous osons vous le dire.
14. Tu vois où sont les enfants ? Approchons-nous d'eux, ne leur disons pas que nous sommes là et écoutons-les.
15. Le garde a toujours son revolver sur lui.

*B. Employer « **Ustedes** » à la place de « **vosotros** » dans le texte suivant :*

— Deteneos ... ¡ gritó García de Paredes. No tenéis que blandir los puñales ... He hecho más que todos vosotros por la independencia de la Patria... me he fingido afrancesado ... y ya veis ... los veinte jefes y oficiales invasores ... los veinte, ... no los toquéis, ... ¡están envenenados!

P. de Alarcón, Historietas nacionales.

C. Employer « vosotros » au lieu de « ustedes » dans les phrases suivantes :

1. ¡Por favor, cierren Vds la puerta y siéntense!
2. Díganme por qué calle han pasado Vds.
3. ¡Se lo ruego, señores, pónganse a sus anchas y diviértanse!
4. ¿Pueden ustedes indicarme donde está el edificio de Correos?
5. Pasen ustedes un buen fin de semana y no piensen más en sus preocupaciones.
6. ¡No tengan miedo, acérquense!
7. Hagan un buen viaje y no olviden la familia.
8. ¿Por qué se preocupan tanto Vds por estas tonterías? ¡Déjenlas!
9. Escríbanle para decirle cuándo vendrán ustedes.
10. Repítanme lo que me dijeron ayer.
11. Háganme el placer de seguirme.
12. Pasen ustedes. Les atiendo en seguida, ¡tengan un poco de paciencia!

57. LE PRONOM ENCLITIQUE

Mettre le verbe donné entre parenthèses à l'impératif, au gérondif ou à l'infinitif selon les cas et en utilisant un pronom :

Ex. : **El dinero que me debes (devolver) ——→ devuélvemelo.**

1. Le gustaba su coche, pero acabó por (vender).
2. Iba al otro lado de los setos (saltar).
3. Toma tu libro y (enseñar).
4. Apartaba las piedras (empujar) con el pie.
5. La verdad, te lo rogamos (decir).
6. ¿Ves estos cochecitos, mamá? Por favor, (comprar).
7. Afirma que puede saber su lección sólo con (leer) una vez.
8. Lo que nos dijisteis ayer (repetir).
9. Nos miró (afirmar) que era la verdad.
10. A sus amigos, señor, (decir) que pasen.
11. Nos gustaría estar a vuestro lado; este sitio, (reservar).
12. Pedro me ha prometido venir en bicicleta y (prestar).
13. Aquí están tus gafas; pronto, (ponerse).
14. Sé bueno con nosotros, Juan: la solución del problema, (explicar).

58. ORDRE DES PRONOMS (*cf.* G 62, G 120)

En réutilisant le même verbe et le pronom correspondant, répondre aux questions suivantes (attention, les formes verbales vous aideront à retrouver les personnes) :

1. ¿ Quieres que (yo) te repita sus palabras?
   — Sí, ...
2. ¿ Os devuelvo vuestra novela?
   — Sí, ...
3. ¿ Diremos todo eso a vuestro profesor?
   — No, ...
4. Pedid a vuestro hermano que os abra la puerta.
   — El ya está ..., papá.
5. ¿ Te podemos ayudar?
   — Sí, ...
6. ¿ Os tengo que devolver vuestros discos?
   — No, ...
7. ¿ Usted quiere que le destape la botella, señor?
   — Sí, ...
8. ¿ Queréis que os prestemos nuestra grabadora?
   — Sí, ...
9. ¿ Te damos las llaves del piso?
   — No, ...
10. ¿ Mamá te lee la carta de la abuela?
    — Sí, está ...
11. ¿ Juan os ha enseñado las fotos de las vacaciones?
    — No, no quiere ...
12. ¿ Envolvemos el paquete para la tía, papá?
    — Sí, ...
13. ¿ Sigo limpiando tu bicicleta, Emilio?
    — Sí, sigue ...
14. Dile al jardinero que venga.
    — Sí, ...
15. ¿ Le preparo el desayuno, señora?
    — Sí, usted va a ...
16. ¿ Te traemos el diario de hoy?
    — No, ...
17. Cuando la sepamos, ¿ te telefoneamos la noticia?
    — Sí, ...
18. ¿ Te preparamos un bocadillo para mañana?
    — No, ...
19. ¿ Usted me presta su bolígrafo?
    — Sí, ...
20. ¿ Usted me dice dónde estará esta noche?
    — No, no quiero ...

57-58. ORDRE DES PRONOMS PERSONNELS COMPLÉMENTS

No conozco la ciudad pero el guía me la va a enseñar ——→ No conozco la ciudad pero el guía va a *enseñarmela*.

Compléter les phrases suivantes en prenant garde à la place des pronoms :

1. No comprendemos tus explicaciones : vas a **(repetir).**
2. ¿ No conocéis el camino ? Pues el chófer puede **(indicar).**
3. ¿ No conoce usted el camino ? Pues el chófer puede **(indicar).**
4. Ya ves, los turistas se aburren ; no se atreven a **(decir).**
5. Usted, Señor, ¿ no comprende este texto en inglés ? Voy a **(traducir).**
6. Si necesitan cualquier cosa, yo les aseguro que basta con **(pedir).**
7. ¿ Necesitas una guía ? Pues **(comprar).**

59. PRONOMS PERSONNELS QUI SUIVENT UNE PRÉPOSITION

Traduire les phrases :

1. Il est sorti avec moi.
2. Il faut avoir ses papiers d'identité sur soi.
3. Selon moi, il va pleuvoir.
4. Répète après moi.
5. Je suis bien près de vous, Madame.
6. Asseyez-vous (vosotros).
7. Mets cette chaise contre toi et moi.
8. Ils ont parlé de toi et de moi.
9. Ne me parle plus d'eux.
10. Levez-vous, c'est à vous que je parle (vosotros).
11. Tout le monde le sait sauf moi.
12. Il nous dit qu'il y a un mur derrière nous.
13. Chaque problème porte en soi sa solution.
14. Viens près de moi, fais comme moi.
15. Chaque vérité est bonne en soi.
16. J'irai avec vous, les amis.
17. J'irai avec vous, Monsieur.
18. C'est un beau jour pour vous, Madame.
19. Pour nous la fortune.
20. Il s'adressa à elle, puis à toi.

62. PRONOMS PERSONNELS COMPLÉMENTS (3e personne)

Compléter ces phrases en mettant l'infinitif proposé à la forme verbale qui convient accompagnée des pronoms correspondants (attention, ne pas oublier les accents quand il y a lieu) :

Ex. : **¿ Sabes si nos acompañará Tomás ?**
— No, (preguntar) tú ahora mismo.
——→ **pregúntaselo tú ahora mismo.**

1. Vuestros amigos, niños, esperan una respuesta, (dar) en seguida.
2. Le pido a usted que no fume y seguiré (pedir) hasta que cese.
3. Si los niños dejan sus bicicletas fuera, alguien acabará por (robar).
4. Diles que has comprado ostras para ellos y que vas a (abrir).
5. ¿ No sabe tu madre cómo funciona la batidora ? Voy a (explicar).
6. Aquí están las gafas del doctor ; ¿ quieres ir a (dar) ?
7. Si ustedes necesitan mis tijeras, (dejar) en la mesita del salón esta tarde.
8. Pronto, escribe una carta a tu abuelo y (mandar).
9. ¿ Puedo tomar su periódico, señor ? Lo leo y (traer) en seguida.
10. Al pobre taxista se le han pinchado dos neumáticos ; el mecánico está (arreglar) actualmente, pero sólo (devolver) mañana.
11. Si estas flores son para su mujer, señor, ¿ por qué no (ofrecer) ahora ?
12. El golfo agarró el bolso de la pobre señora y, después de (arrancar), echó a correr.
13. Estas llaves las olvidó Ramón ; ¿ quieres (poner) en un estuche y yo, mañana, (llevar) a su casa.
14. Si tus amigos no conocen la dirección del hotel, vamos a (comunicar).
15. Comprad naranjas para el enfermo y (llevar) al hospital.
16. Puedes tomar los patines de tu hermano ; pero, ¡ cuidado !, no (estropear).
17. Son las revistas de un chico muy cuidadoso ; no hay que (manchar).
18. Tráiganme sus ejercicios, (corregir) esta noche.
19. Su libro, señor, (devolver) sin tardar, (prometer).
20. ¿ La moto de Gerardo ? Están actualmente (reparar).
21. No he visto aún vuestro nuevo piso ; (mostrar).
22. Aprendamos esta canción para el santo de papá y (cantar).
23. El anciano tenía muchas frutas en su huerto, pero los niños del pueblo (robar).
24. Su suscripción a la revista está terminada y, sin embargo, los editores siguen (mandar).

63. PRONOMS EXPLÉTIFS (*cf.* G 38)

A. **Sus cabellos cayeron ⟶ *Se le* cayeron los cabellos.**

D'après ce modèle, transformer les phrases suivantes :

1. Al muchacho (llenarse) los ojos de lágrimas porque (romperse) la espada.
2. Con el frío que hizo, al vagabundo (enrojecerse) la nariz y (helarse) las orejas.
3. Mi hermano tuvo tanto miedo que (erizarse) los cabellos.
4. Hemos bebido tanto que (subirse) el alcohol a la cabeza.
5. A Don Quijote (secarse) el cerebro.

B. Traduire :

1. La valise, je l'ai portée à la consigne.
2. J'ai mangé la moitié d'une orange.
3. Il mit un œuf entier dans sa bouche.
4. Il avala presque un demi-kilo de viande.
5. Ils mirent leur chemise.
6. J'ai bu plus d'un litre de bière.
7. Le paquet était lourd, je l'ai porté sur le dos.
8. Demain j'apporterai un casse-croûte.

64. MODIFICATIONS ORTHOGRAPHIQUE (*cf.* G 120)

A. Mettre à la personne du pluriel correspondante les impératifs suivants et faire éventuellement les modifications orthographiques (attention aux verbes irréguliers, cf. Tableau des verbes) :

1. ¡ Siéntate !
2. ¡ Ponte cerca de la puerta !
3. ¡ Acércate a la pared !
4. ¡ Levántese usted !
5. ¡ Vete !
6. ¡ Vístete !
7. ¡ Date prisa !
8. ¡ Acuéstate !
9. ¡ Caliéntese usted !
10. ¡ Defiéndete !
11. ¡ Suénate !
12. ¡ Enriquécete !
13. ¡ Disimúlese Vd !
14. ¡ Cállate !
15. ¡ Únete !
16. ¡ Sírvete !
17. ¡ Quéjese Vd !
18. ¡ Diviértete !

B. Mettre à la première personne du pluriel de l'impératif :

1. peinarse. - 2. esconderse. - 3. tenderse. - 4. lavarse. - 5. reunirse. - 6. darse prisa. - 7. esforzarse. - 8. perderse.

C. De la même manière, mettre les affirmations suivantes à la deuxième personne du pluriel de l'impératif :

1. Antes de empezar, nos ponemos de acuerdo.
2. Se van en seguida.
3. Quiero que me lo confieses.
4. Ustedes se acercan y se quitan el sombrero.
5. Nos damos prisa y nos dirigimos hacia la playa.
6. Defendámonos y resistámosles.
7. Te pones de rodillas y te concentras.
8. Usted se pone los zapatos y se viste.
9. Me gustaría que os acercaseis y que os volveseis hacia la pared.
10. Te callas y te sumes en tus pensamientos.

66-67-68-69. LES INTERROGATIFS

Placer les interrogatifs corrects dans les phrases suivantes :

1. ¿ ... es el nombre de tu hermano ?
2. ¿ ... tal tu marido ?
3. ¿ ... vas ?
4. ¿ ... están mis gemelos ?
5. ¿ ... te debo ?
6. ¿ ... día es hoy ?
7. Dime ... están las llaves del coche
8. No sé ... ha llamado a la puerta.
9. ¿ De ... es esta cartera ?
10. Me pregunto por ... razón han actuado así.
11. ¿ ... son esos señores ?
12. Pregúntale ... es su dirección.
13. ¿ Sabes a ... hora llegarán ?
14. ¿ Seremos numerosos mañana ? ¿ ... seremos ?
15. Es imposible saber ... años tiene.
16. ¿ ... tiempo hace que me esperas ?
17. De los dos hermanos, ¿ ... es el mayor ?
18. Este libro me lo prestó alguien, pero no sé ...
19. ¿ ... de estos discos prefieres ?
20. Dime en ... estás pensando.

70. LA PHRASE EXCLAMATIVE

Este espectáculo es maravilloso

⟶ ¡qué espectáculo { más / tan } maravilloso!

Transformer les affirmations suivantes en phrases exclamatives :

1. Hace un tiempo muy malo ⟶ ¡qué ...!
2. Es una obra maravillosa ⟶ ¡qué ...!
3. Lo amable que es esta señora ⟶ ¡qué ...!
4. Hacía una temperatura primaveral ⟶ ¡qué ...!
5. Era un actor muy sutil ⟶ ¡qué ...!
6. La luna era muy redonda aquella noche ⟶ ¡qué ...!
7. Esta sopa está sabrosa ⟶ ¡qué ...!
8. Lo divertida que fue esa gente ⟶ ¡qué ...!

47 à 53. RELATIFS - 70. EXCLAMATIFS - 66 A 69. INTERROGATIFS (récapitulation)

Compléter les phrases suivantes par un relatif, un exclamatif ou un interrogatif de façon à leur donner un sens :

1. No sé hasta ... te podré esperar.
2. ¿... le debo a usted? ¿... tiempo me deja para pagarle?
3. ¿... son estos señores ... están fumando en la sala del fondo?
4. Nos gusta siempre saber el ... de las cosas.
5. Hay ... saber de ... se trata.
6. ¡Tantos esfuerzos! Y todo eso, ¿para ...?
7. Le pagaron el viaje, con ... pareció encantado.
8. ¡Imagina un poco ... satisfecho estaba el padre!
9. ¿En ... de estas calles vive el alcalde? ¿... es su casa? ¿... pisos tiene?
10. No sabemos ... tiempo tardará, ... volverá ni ... se hospedará.
11. ... me dices me parece extraño. ¡... noticia más curiosa!
12. ¿... no nos acompañas? - ... estoy cansado.
13. ¡... tuviera veinte años! ¡... proyectos posibles! ¡... esperanzas!
14. ¿De ... vienes? ¿... es tu nombre? Dime de ... vives.
15. ¿... hay de nuevo? ¿... tal la familia?
16. ¿... no admirar tal panorama? Es un lugar ... me gustaría terminar mi vida.
17. No puedes saber ... me alegro de ... ... me dices.
18. Hay ... dice ... vamos a tener un invierno muy frío.
19. ¿... se llama el restaurante ... está en la esquina de la calle?
20. Pregúntale ... de sus alumnos son los mejores y ... es el primero.
21. ¿... ... está hablando Carmen?

22. El pueblo hacia ... vamos tiene una iglesia maravillosa.
23. ¡... sorpresa! ¡Tú aquí! Hace muchos meses ... no te había visto.
24. ¿... vas a estas horas? Dime ... ... sales tan frecuentemente.
25. Es un millonario ... ... hija se casó el hijo de un ministro.
26. Ojalá supieras decirme ... tiempo hará mañana y ... haremos.
27. Sé ... Pablo está con unos amigos, pero ignoro ... son y ... ... razones han venido.
28. Dime con ... andas y te diré ... eres.
29. Queríamos saber por ... pasar y preguntamos el camino a un campesino, ... era totalmente sordo.
30. ¡... lejos está el castillo! ¿... kilómetros hemos recorrido?

72 à 78. PRÉPOSITIONS

A. Mettre les prépositions qui conviennent à la place des points de suspension :

1. El tren sale ... las dos.
2. Nos paseamos ... las calles.
3. Me dejaron este lienzo ... cien mil pesetas.
4. Estas frutas no son buenas ... comer.
5. Este enigma es muy fácil ... comprender.
6. Todos iban vestidos ... luto pero ... mucho cuidado.
7. ... la mañana me gusta tomar café ... leche.
8. Le condenaron ... ladrón.
9. Iba paseando ... las manos ... los bolsillos.
10. El cuarto ... dormir y la sala ... estar dan ... patio.
11. El maestro hablaba ... voz ronca y ... fuerte acento andaluz.
12. ¿Es ... ti este reloj ... pulsera?
13. Iremos ... vacaciones ... campo ... nuestros amigos.
14. ... ir ... la plaza ... Cibeles has ... pasar ... la calle ... Alcalá.
15. Un señor joven preguntó ... ti ... eso ... las tres.
16. No cabe ... sí de alegría, no piensa más que ... eso.
17. Se sentaron ... la mesa ... comer.
18. Se dirigieron ... el río ... decir una palabra.
19. No ha utilizado la máquina ... lavar ... hace una semana.
20. ... salir, ponte el abrigo que está ... el armario ... luna.
21. ¡Date prisa! No tienes que estar ... vuelta ... la una.
22. ... hacer demasiado frío hoy, me quedaré ... casa.
23. Termina tus deberes ... jugar ... el gato.
24. ¿... qué inquietarte tanto? ¿... qué servirá?
25. Aquel pobre señor estaba ... comer ... hacía dos días.
26. El salón está sucio; está ... barrer y ... limpiar.
27. ... el fin del año, mi padre se irá ... Escocia ... algunos días.
28. ... la pared está la escalera ... mano. Llévala ... sótano.
29. ... un hombre ... su edad, parece joven.
30. Este señor ... pantalones verdes y chaqueta ... cuadros es ... pueblo vecino.

B. Mettre une croix dans la colonne où se trouve la préposition qui convient :

	PARA	POR	A	DE	HASTA	DESDE	CON
1. Siempre anda ... los cerros de Úbeda ⟶							
2. Espero verte ... aquí algún día ⟶							
3. Nos acompañaron ... el cabo de la calle ⟶							
4. Nos estaban observando ... la terraza ⟶							
5. El tío había traído regalos ... sus sobrinos ⟶							
6. Todos vinieron ... bicicleta ⟶							
7. Me asomé al balcón ... ver si llegaban ⟶							
8. Federico ha sembrado su campo ... trigo y cebada ⟶							
9. Cerró la puerta ... llave ⟶							
10. El anciano se acercó ... nosotros cojeando ⟶							
11. Cubrieron los muros del cementerio ... carteles ⟶							
12. La fachada entera estaba cubierta ... carteles ⟶							
13. ... él, lo que importa es escuchar música anglo-sajona ⟶							
14. Te agradezco todo lo que has hecho ... mí ⟶							
15. Es una magnífica película ... acción ⟶							
16. No se veía mucho ... la niebla que había ⟶							
17. Te sirve mucho esta máquina ... calcular ⟶							
18. Entró un señor gordo ... ojos grises y feroces ⟶							
19. El chico ... los pantalones vaqueros es mi primo ⟶							
20. Ojo ... ojo, diente ... diente ⟶							

13. Son ... los jugadores en este equipo.
   a) bastantes b) poce
   c) todos d) nada

14. Me parece que ... llama a la puerta.
   a) algo b) algún
   c) cualquier d) alguien

15. Créeme, Pablo no es un tío ...
   a) ninguno b) cualquiera
   c) nada d) nadie

16. Te llamaré por teléfono ... que otro día.
   a) ninguno b) otro
   c) algún d) alguno

17. Estoy harto de vosotros. Ya no quiero ver a ...
   a) nada b) algo
   c) nadie d) alguien

18. ... personas estaban presentes echaron a reír.
   a) cuantas b) todas
   c) ambas d) bastantes

19. El profesor nos propone un ejercicio ... dos semanas.
   a) cada b) todas
   c) ambas d) sendas

20. ... de nosotras se siente capaz de tal esfuerzo.
   a) ninguna b) nadie
   c) ninguno d) alguna

B. Compléter les phrases suivantes par un adjectif ou un pronom indéfini (cf. G 79 à 81) :

1. Vamos al cine ... los lunes.
2. ... de los obreros que estaban allí le ayudó.
3. ... cosa que diga será una tontería.
4. Quiero que ... uno haga solo el ejercicio.
5. En esta clase, dos alumnos de ... tres leen con dificultad.
6. Me siento ... nervioso hoy.
7. Antonio sabe jugar al tenis con ... manos.
8. ... que sea la coyuntura, las dificultades serán grandes.
9. Enséñame ... de tus dibujos.
10. ¿Hay ... nuevo en el periódico?
11. Nos quedan ... pesetas para terminar el mes.
12. No me gusta el alcohol : dame ... agua y ... vino.

C. Traduire :

1. Nous n'avons aucun talent pour la peinture.
2. Y a-t-il quelque part une feuille de papier?
3. Il n'y a rien de neuf, je n'ai eu aucune réponse.

4. Quelles que soient les circonstances, je suivrai mon idéal.
5. Je le vois tous les deux mois.
6. Ce garçon a un certain toupet.
7. Il boit beaucoup de bière et peu d'eau.
8. Tu as trop de patience avec lui.
9. Combien d'erreurs avant de trouver la solution !
10. Quelqu'un frappe à la porte. Est-ce quelqu'un de tes amis ?

82. TRADUCTION DE « ON »

1. Au loin, on voyait les phares d'une voiture.
2. On a souvent besoin de s'amuser.
3. On me l'a dit, on me l'a répété.
4. On écrit tant de choses dans les journaux !
5. On construit chaque année davantage de voitures.
6. On ne peut pas être partout à la fois.
7. On a besoin de maçons.
8. Hier, avec des amis, on est allé au cinéma.
9. On entend des bruits dans la rue, mais on ne sait pas d'où ils viennent.
10. On entend des étudiants ; on les entend jouer de la guitare.
11. On a rencontré tes parents au marché.
12. On distingue les voitures près de la tribune et on les imagine prêtes à partir.
13. On ne peut pas tout savoir, disait ma mère.
14. On vit que les enfants s'approchaient de la rivière ; on les appela pour qu'ils reviennent.
15. On mange tard en Espagne.

83. ADVERBES DE LIEU

Trouver ci-dessous un adverbe de lieu (ou une locution adverbiale) qui convienne (attention aux accents éventuels) :

1. Esta es la calle ... nací.
2. Esta puerta se abre hacia ...
3. ¿Sabes ... he dejado mis gafas ?
4. Se dirigieron hacia ... habían oído ruidos.
5. América está ..., más ... del mar.
6. Su novio la esperaba siempre ... su balcón.
7. Habían puesto sus maletas ... del armario.
8. ... tienes el dinero que te debía.
9. Ven ..., ... de mí.
10. El gato se refugió ... las cortinas.
11. ... a la iglesia está la carnicería.
12. El perro iba siempre ... su amo.

84. ADVERBES DE TEMPS

A. Trouver l'adverbe de temps (ou la locution adverbiale) qui convient :

1. El hijo del panadero no atiende ... a los clientes.
2. Es mejor que hagas ... lo que no podrás hacer ...
3. Los ... llegados fueron acogidos con alegría.
4. En nuestra familia, sólo vamos al teatro ...
5. No me gusta acostarme ...
6. ... he robado, ni una vez.
7. Los campesinos suelen levantarse ...
8. ... dormimos, los serenos vigilan nuestro barrio.
9. ... miré la televisión hasta las once y hoy estoy cansadísimo.
10. Hoy es martes a 21 de marzo ; pues, ... será el 23.
11. Hace poco tiempo, muy ..., hubo un accidente en esta bocacalle.
12. Te lo prometo, papá : ... trabajaré mucho más.

B. **Carmen se ha casado recientemente ⟶ es una recién casada.**

Appliquer la construction ci-dessus dans les phrases :

1. Los turistas bajaban de los trenes que habían llegado recientemente.
2. No pises el suelo limpiado hace poco.
3. Todos acudían para admirar al niño que acabada de nacer.
4. Tu casa, que han pintado hace poco tiempo, es magnífica.
5. Conozco muy bien este libro que acabo de leer.
6. La nueva casa consistorial, que ha sido inaugurada recientemente, tiene dimensiones increíbles.
7. La película, que han estrenado hace unos días, es una maravilla.
8. Los ancianos, que acababan de ser condecorados, saludaron la bandera.

85. ADVERBES DE MANIÈRE

Combatieron de un modo valeroso y cruel ⟶ combatieron valerosa y cruelmente.

Sur ce modèle, transformer les phrases suivantes :

1. El poeta recitaba de un modo lento y pausado.
2. El chófer conduce de una manera rápida pero prudente.
3. Mi abuelo explicaba las cosas con tranquilidad y firmeza.
4. Este chico trabaja con inteligencia y claridad.
5. El payaso gesticulaba de un modo torpe aunque gracioso.
6. Salió de una manera majestuosa pero apresurada.
7. Sabe organizar su negocio con eficacia, con tranquilidad y hasta con amabilidad.

8. Me contestó el hombre con ironía pero humorísticamente.
9. El señor cura nos saludó con cortesía y familiaridad a la vez.
10. Hay que actuar en la vida de un modo leal y digno.
11. Los cazadores avanzaron entre la maleza con prudencia, lentitud y atención.
12. El fontanero reparó la tubería con conciencia y cuidado, aunque con febrilidad.

86. ADVERBES DE QUANTITÉ ET DE COMPARAISON

Traduire :

1. A peine sa maman apparaît-elle que l'enfant se met à rire.
2. Il ne faut jamais lire un livre à moitié.
3. Elle était à demi-morte de froid.
4. Une heure de plus, ce serait trop pour finir cette besogne.
5. Mais laissez-nous au moins quelques minutes pour les corrections.
6. Ce gros monsieur a au moins dix kilos de trop.
7. Ils ne purent entrer dans le théâtre tellement ils étaient nombreux.
8. Messieurs, vous êtes trop forts pour moi.
9. Les règles de ce jeu sont trop difficiles et j'ai peu de patience.
10. La fenêtre du balcon était à demi ouverte, il faisait très chaud et même trop chaud.
11. A force de répétitions, les problèmes leur parurent assez faciles.
12. Qu'il fasse très chaud ou qu'il fasse très froid, il est toujours très couvert.

87. DIFFÉRENTES TRADUCTIONS DE LA NÉGATION

No hace nunca frío en Canarias ——→ Nunca hace frío en Canarias.

Pour chacune de ces phrases, donner la deuxième manière de traduire la négation :

1. ¿No viajaste nunca en avión?
2. Lo que pasó, no lo sabe nadie.
3. El sol no se ponía nunca en el imperio de Carlos Quinto.
4. El chico se escondía para que no lo viese ninguno de sus compañeros.
5. Yo no comprendo nada; tú no comprendes tampoco.
6. En su vida ha trabajado.
7. Ni un céntimo quiso darle al mendigo.
8. A este señor, nada le interesa.
9. No aceptó tampoco que alguien le acompañase.

10. Ahora, nadie cree en la existencia de las brujas.
11. Jamás podré olvidar la alegría de aquel día de boda.
12. Ni siquiera me miró a la cara.
13. Lo que has hecho, no lo haría ninguna mujer.
14. No dirigieron la palabra a nadie ; a usted tampoco le hicieron caso.
15. No quiso hablar a ningún miembro de la familia.

88. ADVERBES D'AFFIRMATION ET DE NÉGATION

A. **El Pireo no es un hombre ; es un puerto ——→ El Pireo no es un hombre sino un puerto.**

Traduire l'opposition par l'emploi de « pero », « pero sí », « sino », « sino que » dans ces phrases :

1. No puedo dormir de noche ; duermo de día.
2. No me gusta el cine ; me gusta el teatro.
3. No sólo apreciamos la música clásica ; apreciamos también la zarzuela.
4. No practicamos el fútbol ; preferimos el tenis.
5. A toda la familia no le encanta la montaña ; le encanta el mar.
6. Me aburro bastante en la playa ; iré a orillas del mar con mis amigos.
7. No sólo me disgusta el mundo ; odio también el ruido y la animación.
8. No suele beber vino ; le gusta saborear una copa de aguardiente.
9. No llegaremos el lunes ; llegaremos el martes.
10. No llegaremos el lunes ; preferimos llegar el martes.
11. No hacía mucho frío ; la lluvia comenzó a caer por la tarde.
12. No lee novelas de aventuras ; lee revistas científicas.

B. Traduire :

1. Nous n'aurons que quinze jours de vacances.
2. Il a promis qu'il ne fumerait plus.
3. Nous n'avons pas même eu le temps de leur serrer la main.
4. Nous accompagneras-tu au cirque ? — Ça oui.
5. Nous n'irons plus à la piscine, l'eau est trop froide.
6. Je ne peux plus avaler, j'ai trop mangé.
7. Il vaut mieux prendre son temps que se fatiguer.
8. Nous n'irons pas au village pour la Toussaint, mais à Noël.
9. Il n'a même pas répondu à ma lettre.
10. Ne reviens jamais plus !

89. CONJONCTIONS DE COORDINATION

Traduire :

1. Lundi et mardi.
2. Belle-mère et gendre.

3. Blancs et Indiens.
4. Un jour ou l'autre.
5. Blanc ou noir.
6. Veuve ou orphelin.
7. Pourquoi fais-tu cela ?
8. Parce que ça me plaît.
9. Demande-lui le pourquoi et le comment de son attitude.
10. Eh bien, au revoir, les enfants !

90. CONJONCTIONS DE SUBORDINATION (*cf. G 121 à 123*)

Voici des phrases dont les propositions ont été bouleversées. Réunir les éléments de chacune d'elles pour lui donner un sens :

1. No se puede concebir	*que*	A.	... llegaran sus amigos.
2. Nos habían prometido	*que*	B.	... habían visto un accidente.
3. Siento mucho	*que*	C.	... su novia no le escribiese.
4. Pasaré por tu casa	*a no ser que*	D.	... esté puesta la mesa.
5. No te podemos dejar solo	*sin que*	E.	... haya tanta hambre en el mundo.
6. Nos contaron	*que*	F.	... su padre estaba muy malo.
7. No me aburriré nunca	*con tal que*	G.	... prefieras llamarme tú.
8. El no podía afirmar nada	*sin que*	H.	... nadie me molestara.
9. Me fastidia mucho	*que*	I.	... no haya bastante nieve.
10. Quisieron terminar la limpieza de la casa	*antes de que*	J.	... tus padres no hayan podido venir.
11. Yo me sentiría feliz	*con tal que*	K.	... fumes tanto.
12. Te puedo asegurar	*que*	L.	... coja un resfriado.
13. Nos sentaremos a comer	*como*	M.	... hagas alguna locura.
14. Habíamos oído decir	*que*	N.	... nunca más tomaré el metro por la noche.
15. No creo	*que*	O.	... me la ponga mañana ?
16. Pon un jersey al niño	*antes de que*	P.	... vendrían temprano.
17. El temía	*que*	Q.	... estáis todos del mismo parecer.
18. Veo con placer	*que*	R.	... su mujer dijera lo contrario.
19. ¿ Quieres planchar mi camisa	*para que*	S.	... Ud conozca a mi esposa.
20. Iremos a esquiar a la sierra	*a menos que*	T.	... me dejen solo en una biblioteca.

91. EMPLOI PARTICULIER DE « AUNQUE »

A. Compléter les phrases suivantes en utilisant convenablement le verbe proposé entre parenthèses :

1. *Aunque* eran muy jóvenes (tener) ...
2. No podríamos llegar a tiempo *aunque* (levantarse) ...
3. *Aunque* me lo pidas de rodillas, nunca (hacer) ...

4. Hacían muy poco ruido *aunque* (ser) ...
5. Aunque parece tímido, este niño (saber) ...
6. Seguía mirando la televisión *aunque* no (gustar) ...
7. *Aunque* insistiéramos, estamos seguros de que él (venir) ...
8. *Aunque* llovía a cántaros, (haber) ...
9. Sigue escribiéndoles *aunque* no (contestar) ...
10. No (ir) ... *aunque* es un buen católico.
11. Nunca iré a ver esta película *aunque* (insistir) ...
12. *Aunque* había comido mucho, (querer) ...
13. No creo que haya una guerra *aunque* lo (decir) ...
14. Nunca iré a Inglaterra *aunque* me (acompañar) ...
15. *Aunque* me lo (decir) ..., yo no lo creería.

B. Traduire :

1. Quoique ce soit une femme assez pauvre, elle vit convenablement.
2. Je ne voudrais pas avoir son métier, même si on me payait dix fois plus.
3. Bien que ce fût interdit, les gens fumaient dans la salle de cinéma.
4. Même si tu vas à la ville en voiture, tu ne mettras pas moins d'une heure.
5. Ne te fâche pas, même s'il continue à t'énerver.
6. Bien qu'il y eût beaucoup de monde dans les rues, il y avait peu de gaieté.
7. Ne réponds pas, même si on te provoque.
8. Quoiqu'on soit au début de mai, il fait encore très frais.
9. Même si nous le savions, nous ne te le dirions pas.
10. Bien qu'il se prétende intelligent, il a beaucoup de retard dans ses études.

108-109. HABER - TENER

Traduire :

1. Nous nous sommes amusés à la foire.
2. Il fallut insister pour qu'il vienne.
3. Il y aura de la neige cette nuit.
4. Tu dois partir pour le collège avant huit heures.
5. Les valises sont là, nous les avons préparées.
6. J'aime la chanson que vous avez interprétée.
7. Pour le jeu de l'« hombre », chaque joueur doit avoir neuf cartes.
8. Regarde les taches que tu as faites.
9. Nous voici ! Nous nous sommes pressés pour venir.
10. Il va y avoir beaucoup de soleil pour Pâques.
11. Il faudra conduire avec prudence.
12. Nous devrons conduire avec prudence.
13. Il s'est blessé gravement avec son couteau.
14. Ça y est ! J'ai fait mes exercices.
15. Il y aura eu beaucoup d'accidents pendant ces vacances.

110-111. SER - ESTAR

*Compléter par le verbe **Ser** ou le verbe **Estar** convenablement conjugué :*

1. Julio ... el séptimo mes del año.
2. ... en octubre cuando se abre la temporada de la caza.
3. Cuando ... en invierno, iremos a esquiar a la sierra.
4. El dólar ... casi a ocho francos.
5. Esta estatua policromada ... de Berruguete.
6. No ... numerosos hoy ; pero así ... más a nuestras anchas.
7. Ya ... de noche cuando salimos del curso ayer.
8. ... aquí donde ... el sepulcro del arzobispo.
9. No ... nosotros los culpables.
10. Mi cepillo de dientes ... éste ; el tuyo ... aquél.
11. ... ahora en enero : ... el invierno.
12. Se quedó mudo de sorpresa y ... con la boca abierta algunos segundos.
13. ¿ De dónde ... vosotros ? Nosotros ... de Andalucía, ... sevillanos.
14. Fácil ... decir algunas palabras en español ; más delicado ... observar la gramática.
15. El manuscrito éste ... de la Edad Media ; ... de pergamino y ... del Capítulo de la Catedral.
16. Su tío ... maestro en el pueblo y ... de escribano cuando hay alguna sesión extraordinaria del Ayuntamiento.
17. Si no ... vosotros más que ocho no ... bastantes para constituir un equipo de fútbol.
18. Me siento triste hoy ; no ... para bromas.
19. Sus padres ... de viaje ; ... en Austria.
20. Granada ... una joya artística.

112. SER OU ESTAR + ADJECTIF

*Compléter les phrases par l'emploi de **Ser*** ou de ***Estar** :*

1. ¡ Qué alto ... Pablo ! ... también bastante gordo.
2. ... un lugar común afirmar que el cielo ... azul y que el mar ... verde.
3. Pero hoy el cielo ... particularmente azul.
4. No ... satisfechos del resultado de las elecciones.
5. No ... más que tres para la Nochebuena ; si ... solo, ven a cenar con nosotros.
6. De ordinario la paella ... un plato maravilloso, pero la suya, señora, ... riquísima.
7. Después de recibir la noticia, uno ... ciego de furor y el otro ... loco de alegría.
8. ... un Ministro de izquierda, pero su política ... de derecha.

9. Este niño que ... a tu derecha ... muy listo; pero ... siempre rojo de confusión cuando se le hace una pregunta.
10. Yo ... de muy mal humor. No ... del todo para reír.
11. ... infeliz porque le abandonó su novia.
12. ... de admirar este cuadro, que efectivamente ... una obra maestra.
13. ... de acuerdo contigo : ... él quien debe pagar las consumiciones.
14. No ... verdad que los exámenes ... en mayo.
15. A pesar de ... bachiller ... de acomodador en un teatro.
16. La fiesta de ayer ... muy divertida ... todos muy contentos.
17. El niño ... casi siempre enfermo cuando sus padres ... fuera de casa.
18. Antes ... comunista y ahora ... del centro.
19. Nuestros ejercicios ... por corregir y el profesor ... mirándolos.
20. Mañana ... lunes y ... a 15 de mayo.

113. SER OU ESTAR + PARTICIPE PASSÉ

*Compléter les phrases suivantes en employant le verbe **Ser** ou le verbe **Estar** convenablement conjugué :*

1. La Catedral ... construída en el Siglo quince ; ... hecha de sólidos sillares.
2. El discurso de apertura ... pronunciado por el Presidente que ... un poco emocionado ... aplaudido con entusiasmo por todos.
3. Las plantaciones del hortelano ... protegidas por un seto vivo.
4. Las cartas a los suscriptores ... firmadas por el Director y pudieron ... llevadas a Correos.
5. Cuando el foso ... cavado, el ataúd ... bajado con mil precauciones.
6. ¡La mesa ... puesta, la sopa ... servida!
7. La ventana ... cerrada; ... cerrada por una corriente de aire.
8. Los mejores candidatos van a ... felicitados y ... premiados por el Jurado.
9. El recién nacido ... bendecido mañana por el canónigo después de ... llevado a la pila bautismal.
10. Desde que ... enamorado, Alberto casi ya no come.
11. El ratero ... visto ayer por un testigo y ... detenido por la Policía.
12. El tesoro había ... acumulado por el anciano durante toda su vida; ... disimulado bajo un montón de carbón.
13. El niño ... castigado por haber desobedecido; ... afligido.
14. El buen estudiante ... apreciado por sus maestros.
15. ... prohibido fijar carteles.
16. La ley sobre el divorcio ... aprobada hace poco por las Cortes; pero si ... aprobada, no conviene a todos.
17. En agosto los tomates ... vendidos a bajo precio en el mercado.
18. Las amenazas de los bandidos ... fijadas con un cuchillo en la corteza de un árbol.
19. El nombre del héroe ... repetido por mil bocas.
20. ¡La suerte ... echada!

110-111-112-113. EMPLOI DE SER ET DE ESTAR
(récapitulation)

*A. Relier chaque membre de phrase en employant **Ser** ou **Estar** au temps qui convient :*

1. La Casa de Diputación ...	A. siempre muy ocupado.
2. La novela ...	B. a la salida del pueblo.
3. Mi tía Luisa ...	C. escrito (a) en alemán.
4. Una cigüeña ...	D. anidado (a) en el campanario.
5. Carlos Primero ...	E. profesor (a) de inglés.

6.	Esta carta ...	F.	bombardeado (a) durante la guerra.
7.	Guernica ...	G.	cinco para cenar.
8.	El doctor del pueblo ...	H.	un monarca muy poderoso.
9.	Las pistas de tenis ...	I.	rematado (a) por un pararrayos.
10.	Esta noche en casa ...	J.	premiado (a) por la Academia.

B. Remplacer les points de suspension par ***Ser*** *ou* ***Estar*** *au temps qui convient :*

1. ¡Qué guapa ... hoy, Luisita!
2. El árbitro ... ciego; no ha visto que la pelota ... fuera de juego.
3. Es posible que este collar ... de perlas, pero lo dudo.
4. La lluvia ... torrencial; ... hecho una sopa.
5. Estas cerezas ... verdes; no ... maduras todavía.
6. ... encantado : la solución de mi problema ... correcta.
7. Hay que ... loco para afirmar que Tirso de Molina ... un autor divertido.
8. No puedo creer que esta chica tan rubia ... del Sur de España.
9. Anteayer, el Banco ... asaltado por tres ladrones enmascarados.
10. Este lienzo ha ... pintado por Velázquez.
11. Me escribirás cuando ... de vacaciones.
12. ¿Crees que ... más feliz cuando tengas más dinero?
13. Su perro ... atropellado por el autobús.
14. Su padre ... delegado de la UNESCO.
15. ¿... lista para salir? ¿... bien cubierta?
16. Las vacaciones ... casi terminadas; ... de vuelta al colegio pasado mañana.
17. Pareces ... muy aburrido; sin embargo, la fiesta ... alegre.
18. No ... partidarios del aborto y ... en contra de la nueva ley.
19. ... unos desgraciados, ... casi siempre malos.
20. La nueva Constitución ... adoptada; ... votada anteayer.

C. Employer le verbe qui convient dans les phrases suivantes :

1. Cuando salieron del café ... ya de noche.
2. El cabaret ... en un barrio alejado del centro de la ciudad.
3. Castilla ... un poco como una droga.
4. Este ... el palacio de Inca Roca. La Plaza de Armas ... cerca.
5. Recuerdo una época en la que vivir en la ciudad de México... considerado como un privilegio; en México la luz eléctrica ... más brillante, las calles ... más anchas y ... mejor pavimentadas ...
6. Al cabo de dos horas de estorbar, logró que las chicas ... arregladas y la comida empaquetada.
7. — ¡... solos, Visitación!
   — Sí, Alfredo, ¡qué feliz ... (yo)!
8. Ahora el pueblo no ... ni sombra de lo que ...
9. El viejo ... pensativo.
10. Él mar ... muy peligroso. Cuando yo ... mirando un buque bien lejos, desapareció.

D. Traduire :

1. Nous sommes amis.
2. C'est aujourd'hui la fête de Paul.
3. Je suis ravi de te rencontrer.
4. Nous étions en train de dormir.
5. Tu n'es pas de ce siècle.
6. Ton travail est un désastre.
7. Ce chef d'entreprise est très occupé.
8. Nous sommes heureux, nous sommes en vacances.
9. Tu es content de ton sort.
10. Il a été appelé au téléphone.
11. Seras-tu chez toi demain ?
12. Cette musique est à la mode.
13. C'est un air connu.
14. Il est nerveux quand il est ivre.
15. Il est actif et nerveux.
16. Il était une fois une méchante sorcière.
17. Les facteurs sont mécontents ; ils sont en grève.
18. Ce n'est pas toi le plus fort.
19. Ça y est ! le Président est élu.
20. Les impôts ne seront exigés que dans un mois.
21. Leningrad est l'ancien nom de Saint-Pétersbourg.
22. Elle a été fondée par Pierre le Grand.
23. L'eau est chaude, c'est pour ton thé.
24. Ne sois pas impatient, il n'est pas tard.
25. Il est honteux car il n'est pas le premier.

115. L'INFINITIF

Cuando se asomó al balcón, se dio cuento de que llovía ⟶ *Al asomarse* al balcón, se dio cuenta de que llovía.

Transformer les phrases ci-après en employant un infinitif et la préposition correcte :

1. Porque estaba de buen humor, reía a carcajadas.
2. Practicando muchos deportes, desarrollamos nuestros músculos.
3. Si toleràsemos tal injusticia, no seríamos buenos ciudadanos.
4. Se vio un gran fulgor en el cielo cuando la bomba estalló.
5. Le han fusilado porque ha traicionado su patria.
6. Cuando hubo terminado la carrera, se dedicó al periodismo.
7. Todo el pueblo aplaudió cuando pasó el coche de los recién casados.
8. Si Vds me hubieran avisado antes, yo les habría preparado una habitación.

9. Aunque parece tan tranquilo, disimula un temperamento muy vivo.
10. Cuando hubo hablado dos horas seguidas, tenía la garganta sequísima.
11. Aunque era tan astuto, fracasó totalmente en su proyecto.
12. Si no lo haces tú, nadie lo hará.
13. Tomas solamente este jarabe y se acaba tu tos.
14. Quiso terminar la tarea porque le parecía muy fácil.
15. Niños, ¡salgamos! ¡vamos de paseo!
16. Los pobres no habían comido nada desde hacía dos días.
17. No estamos aquí con el propósito de dormir.
18. Si no se lo hubieras repetido, él no habría comprendido.
19. Si no me ayudas, no te ayudaré tampoco.
20. Cuando el día se levantó, los viajeros estaban lejos ya.

116. LE PARTICIPE PASSÉ

A. *Mettre au participe passé :*

1. Quien no ha (ver) a Sevilla, no ha (ver) maravilla.
2. Creían a pies juntillas las noticias que venían (imprimir) en el periódico.
3. Los ingenieros no han (resolver) todos los problemas.
4. Sólo se había (afeitar) la mejilla izquierda.
5. Tenía (afeitar) la mejilla izquierda.
6. En la catástrofe varias personas resultaron (herir).
7. Volví tristemente a casa, (perder) mis ilusiones.
8. Han (morir) cuatro Romanos y cinco Cartagineses.

B. *Cf. G 109 :*

Los irresponsables habían engañado a sus familias ——→ Los irresponsables *tenían engañadas* a sus familias.

Transformer les phrases suivantes :

1. Los chicos habían preparado sus lecciones.
2. Muchos no habían elegido sus asignaturas.
3. Mi hermano habrá terminado sus estudios dentro de dos años.
4. He apuntado las ideas principales del texto.
5. Hemos guardado unas cuantas botellas en la bodega.

C. **La guerra/declarar/comenzar/las primeras escaramuzas**
——→ Declarada la guerra, las primeras escaramuzas comenzaron.

Avec les éléments qui suivent, construire des phrases en employant le participe passé :

1. venir/hacia mí/las manos/tender.
2. morir/perro/rabia/morir.

3. el escritor/llevar/escribir/gran parte de su novela.
4. la boca/abrir/mirarme/durante algunos segundos.
5. de lo que le habían dicho/satisfacer/quedar.
6. paciencia/gritar como un loco/perder.
7. tener/carta de felicidades/escribir/para mis abuelos.
8. absorber/más de media hora/quedar.
9. las últimas líneas/los periódicos/imprimir/ser distribuídos.
10. las partes/el león/hablar así/hacer.
11. sentirse feliz/las dificultades/resolver.
12. hacia la pared/volver/la cabeza/querer/esconder sus lágrimas.
13. sentar/permanecer/una hora/sin moverse.
14. el preso/llevar/a la cárcel/las manos/atar.
15. el Director/preocupar/aquel día/andar.
16. estar/envolver/la camisa/papel con dibujos.
17. hallarse/alejar/el cementerio/del pueblo.
18. la mujer/en la hierba/yacer/la conciencia/perder.
19. dormir profundamente/el dueño/poner/en la mesa/la cabeza.
20. morir/en el combate/dos soldados/resultar.

117. LE GÉRONDIF

A. **Los campesinos se quejaban ——→ Los campesinos *continuaban quejándose*.**

Transformer les phrases suivantes en employant la forme progressive (verbe ***ir, continuar, seguir,*** *selon le cas) :*

1. Las parejas bailaban aunque ya había cesado la música.
2. En muchas regiones desaparece lo típico.
3. Desde hace años el campesino labra su pequeña porción de tierra.
4. Los soldados desfilaban.
5. Siempre dices lo contrario de lo que digo.
6. El río sube con las incesantes lluvias.
7. A pesar de sus años practica muchos deportes.
8. Estos colegiales progresan.
9. A pesar de las contradicciones, el Diputado lee su discurso.
10. El tiempo cambia.

B. Compléter les phrases suivantes :

1. ... ausente el profesor, no hemos tenido clase.
2. Estuvo todo el día ... una novela policíaca.
3. Me pasé el domingo ... por el campo.
4. ... roto el vaso, lo tuve que pagar.
5. Después de mucho llorar, acabaron sus deberes ...

6. Estuvieron ... muchas horas en la feria.
7. Entraron en el cine ... ruido.
8. ... es como recobra sus fuerzas.
9. Me miró con sorpresa ... a mi pregunta.
10. ... los años, el niño se había hecho un hombre.

118. L'INDICATIF

A. Employer le passé simple ou le passé composé selon le cas :

1. El mes pasado (tocarme) ... la lotería.
2. La tecnología (hacer) ... progresos enormes desde el principio del siglo.
3. (Tener) ... mucha lluvia este fin de semana.
4. En 1889 (construir) ... la torre Eiffel.
5. Desde mi infancia (ir) ... todos los años al mar.
6. Ayer mi hermano menor (caer) ... y (hacerse) ... daño.
7. Hoy (haber) ... alzas importantes en la Bolsa.
8. En mi vida (trabajar) ... tanto.
9. Hasta ahora no (recibir) ... ninguna carta de ellos.
10. Recuerdo que aquel día (salir) ... temprano para las vendimias.

B. Traduire :

1. Un peu plus et il tombait dans la rivière.
2. Ce monsieur doit avoir plus de cinquante ans.
3. Je me demande comment il fera pour arriver jusqu'ici.
4. Sais-tu combien nous serons à cette réunion ?
5. Il est huit heures ; le train doit être arrivé.
6. Je peux t'assurer qu'il fera beau temps demain.
7. J'ai failli me couper avec ce couteau.
8. Nous ignorons dans combien de temps il faudra être prêts.
9. Dis-moi quand tu reviendras.
10. Je me demande s'il m'accompagnera.

C. Transcrire au présent de l'indicatif :

1. Joaquín miró para las calles del pueblo, estrechas e intrincadas. Para las viejas casas encaladas donde había macetas de flores escarlatas. Para el rumor de las calles donde los niños alborotaban. A las mujeres que, sentadas en la alberca, se saludaban y reían mientras esperaban a llenar sus cántaras. Tenían cabellos oscuros, ojos hundidos en sus caras tristes que se adentraban en el alma.

Armando LOPEZ SALINAS.

2. « Pimentó soltó su acusación. Aquel hombre que estaba junto a él, tal vez por ser nuevo en la huerta, creía que el reparto del agua era cosa de broma y que podía hacer su santísima voluntad. »

Vicente BLASCO IBAÑEZ.

3. « Con estas instrucciones teóricas y prácticas, me creí ya capacitado para lanzarme por las calles y carreteras del ancho mundo y comparecí el día que me fijaron ante el experto oficial que había de negarme o concederme el carnet de conducir.
Contesté algunas preguntas, hice ciertas evoluciones. »

W. FERNANDEZ FLÓREZ.

4. « Tu no serás Artemio Cruz, no tendrás setenta y un años, no pesarás setenta y nueve kilos, no medirás un metro ochenta y dos, no usarás dientes postizos... no vestirás esos trajes azules de tres botones, no preferirás la cachemira irlandesa, no beberás ginebra con tónico, no tendrás un Volvo, un Cadillac... no recordarás y amarás ese cuadro de Renoir. »

Carlos FUENTES.

5. « Mosén Millán pidió al monaguillo que le acompañara a llevar la extremaunción a un enfermo grave.
... El cura no quiso responder. Y seguían andando. Paco se sentía feliz yendo con el cura. »

Ramón SENDER.

D. Transcrire au présent de l'indicatif, puis au futur de l'indicatif :

« Tú, has almorzado unas ostras... Después encendiste un cigarrillo y te deleitaste pensando en la felicidad que te procura tu vivir honrado y bondadoso...
... Esa ostra se encontraba satisfecha en el fondo del mar. La primera contrariedad de su vida la experimentó cuando la extrajeron para ti de su natural elemento.

W. FERNANDEZ FLÓREZ.

E. Transcrire au passé simple :

« ... Le examinan de arriba abajo, le sacan radiografías, le piden cientos de análisis de sangre... Le pesan, le miden, le auscultan, le tumban, le levantan, se pone de un lado, de otro, de frente, de espaldas, dice treinta y tres, respira hondo, abre la boca, saca la lengua, entorna los ojos, gira la cintura, mide sus calorías, observa su metabolismo, se toma el pulso, escucha sus válvulas, siente su circulación, no come, no bebe, no fuma... »

Adolfo MARSILLACH.

F. Transcrire à l'imparfait de l'indicatif :

« ... Las aguas envasadas están a veces plagadas de alegres colonias de microbios, y la del grifo no suele ser mucho más recomendable...
... Los aditivos contenidos en los panes permiten apenas conservar un vago recuerdo de uno de los alimentos básicos, la blancura de la carne se consigue con hormonas... »

« CAMBIO 16 ».

G. Transcrire au passé simple :

1. « Don Abundio comienza la mañana metiendo prisa a su mujer y a sus tres hijas... Al cabo de dos horas de estorbar, logra que las chicas estén arreglabas y la comida empaquetada...
... Don Abundio agarra el primer atasco a la salida de la ciudad. Cinco kilómetros le cuesta al coche hora y media. El coche se recalienta y don Abundio tiene que sacarle a un andén para que se enfríe. »

D'après Tomás SALVADOR.

2. « La ambulancia policial llega a los cinco minutos y lo suben a una camilla blanda donde puede tenderse a gusto... Le llevan a la sala de radio... Alguien de blanco, alto y delgado se le acerca y se pone a mirar la radiografía... Siente que lo pasan de una camilla a otra. El hombre de blanco se le acerca otra vez, sonriendo, con algo que brilla en la mano derecha. Le palmea la mejilla y hace una seña a alguien parado atrás. »

D'après Julio CORTAZAR.

*H. Transcrire le texte suivant au futur de l'indicatif et à la 1re personne du pluriel **(nosotros)** :*

La sangre se me agolpó a los oídos. Salí de la estación con el fardo del equipaje al hombro, torcí por una senda sin necesidad de pasar por el pueblo, y empecé a caminar. Iba triste, muy triste. Pasando cerca del cementerio, cogí miedo, un miedo inexplicable ; me imaginé a los muertos saliendo en esqueleto a mirarme pasar. No me atreví a levantar la cabeza; apreté el paso. Cuando llegué a mi casa estaba rendido.

D'après C.J. CELA, *La familia de Pascual Duarte.*

I. Transcrire au futur de l'indicatif :

Cuando el baile llegaba a su apogeo, que era de nueve a nueve y media de la noche, el ruido de los pies y de las conversaciones era ensordecedor, y los magos del ritmo moderno, por más que se esforzaban, no se les oía que desde muy cerca. El calor era sofocante, la gente sudaba a chorros y no se podía dar ni un paso.

C.J. CELA.

119. LE CONDITIONNEL (*cf.* G 125, G 127)

A. Mettre au passé les phrases suivantes :

1. Afirman los periódicos que el eclipse se producirá el 26 de este mes.
2. ¿Sabes cuándo nos darán una respuesta?
3. Es evidente que Juan vendrá acompañado de su mujer.
4. Te prometemos que nunca más lo volveremos a hacer.
5. No sé todavía a qué hora llegarán.
6. Supongo que se habrá metido en un atasco a la salida de la ciudad.
7. El doctor dice que el enfermo estará mejor muy pronto.
8. Creo que habrá que esperar con mucha paciencia.
9. Os repito que tendréis que estar aquí a las siete.
10. Ignoro quién pronunciará el discurso.
11. Estoy seguro de que se pondrá pantalones vaqueros para la excursión.
12. El Rey declara que abdicará en su hijo.
13. Son las ocho : mis padres estarán en casa.
14. El jefe de estación anuncia que el tren tendrá media hora de retraso.
15. Me pregunto si querrá contestar a mi invitación.

B. **Me gustaría practicar el esquí si fuera más joven :**

D'après ce modèle, compléter les phrases suivantes :

1. ... (jugar) al baloncesto si ... (ser) más alto.
2. Si ... (tocarme) el gordo, ... (comprarse) una moto.
3. Por más que ... (suplicarle), estoy seguro de que él no ... (ceder).
4. ... (dolerme) los pies si ... (andar) demasiado.

5. Si ... (presentarse) al examen, ... (suspender).
6. Por muy difíciles que ... (ser) las pruebas, Antonio ... (saber) vencerlas.
7. Este borracho ... (seguir) bebiendo por más que le ... (doler) la cabeza.
8. Si ... (tener) voluntad, yo ... (dejar) de fumar.
9. No ... (disgustarme) alojarme en un hotel de cuatro estrellas si ... (ir) de viaje.
10. De todas formas, aunque ... (haberse puesto) un impermeable, ... (estar hecho) una sopa.

120. L'IMPÉRATIF (*cf.* G 64)

A. Mettre à l'impératif. L'apostrophe ***« señores »***, ***« viajeros »***, ***« niño »***, *etc. permet de retrouver la personne qu'il convient d'employer :*

1. Todos a un tiempo, señores : ¡ ... (circular) por la derecha ! ¡ No ... (detenerse) !
2. Viajeros, ¡ no ... (entrar) ni ... (salir) en marcha ! Antes de entrar, ... ¡ (dejar) salir !
3. Niño, ¡ no ... (meter) la mano en el plato ! No ... (moverse) tanto !
4. Hijo mío, ¡ ... (venir) aquí no ... (llorar) más !
5. Me pareces cansado. ¡ ... (hacer) deporte, no ... (trasnochar) y ... (ponerse) de vacaciones !
6. Buenos días, señora, ¡ ... (sentarse), por favor ! ¡ No ... (molestarse) !
7. Muchachos, ¡ no ... (ensuciar) el suelo ! ¡ No ... (jugar) a la pelota en la cocina ! ¡ ... (salir) !
8. ¡ ... (Ser) el bienvenido, señor Director ! ¡ ... (pasar) y ... (servirse) tomar una copita con nosotros !

B. Mettre à la forme négative :

1. ¡ Vestíos y salid !
2. ¡ Ven acá y escúchame !
3. ¡ Mírame y respóndeme !
4. ¡ Grita y quéjate !
5. ¡ Pierde tu tiempo !
6. ¡ Diles que vengan !
7. ¡ Póngase usted a mi lado !
8. La respuesta, ¡ dámela !
9. ¡ Esforzaos por estar atentos !
10. ¡ Ve esta película !

C. Mettre à la forme négative :

1. ¡ Escuchad lo que os dicen !
2. ¡ Dime lo que pasó !

3. ¡Espérame!
4. ¡Sé bueno con él!
5. ¡Salgamos juntos!
6. ¡Hable Vd más fuerte!
7. ¡Acercaos a la mesa!
8. ¡Ponte derecho!
9. ¡Haz lo que te ordenan!
10. ¡Jugad al fútbol en el patio!

D. Mettre à la forme affirmative :

1. ¡No os dejéis engañar! ¡No abandonéis!
2. Este coche, ¡no lo conduzcas!
3. ¡No te diviertas! ¡No te entretengas!
4. Esta versión, ¡no la traduzcan ustedes!
5. ¡No os dirijáis hacia la puerta!
6. ¡No se lo repitáis!
7. ¡No nos durmamos!
8. ¡No os desunáis!
9. ¡No se las traigáis!
10. ¡No se lo diga usted!

E. Mettre à la forme affirmative :

1. ¡No te vayas sin avisarme!
2. ¡No nos dirijamos hacia esta dirección!
3. ¡No tome Vd esta silla!
4. ¡No os asoméis al balcón!
5. ¡No le hablen Vds a ese tipo!
6. ¡No me repitas lo que te dijo Julio!
7. ¡No cerremos la ventana!
8. ¡No os fijéis en los que dice!
9. ¡No pase Vd por esta carretera!
10. ¡No le hagas caso, es un tonto!

121. LE SUBJONCTIF (*cf.* G 122 à 126)

A. Former une phrase complète en reliant d'une façon cohérente les deux éléments qui la composent :

1. Te pido consejo	A. si te portas bien.
2. Me siento muy a gusto aquí	B. para que todos me comprendieran bien.

3. No saldrás conmigo
4. Los Reyes te traerán regalos
5. Me fastidia mucho
6. Voy a tomar un bocadillo
7. Nos saludarán con cariño
8. Lo repetí muchas veces
9. Llenaríamos el depósito del coche
10. No comeremos estas frutas

C. como si estuviera en mi propia casa.
D. por muy maduras que estén.
E. aunque quedara gasolina en él.
F. para que me ayudes.
G. como me vuelvas a molestar.
H. en cuanto nos reconozcan.
I. por si acaso no me invitaran a comer.
J. que pongan esos programas en la televisión.

B. Parmi les quatre possibilités offertes entre parenthèses, choisir la seule qui convienne pour donner un sens à la phrase :

1. ¡(Ojalá) / ¡(Qué) / ¡(Sin duda) / ¡(Claro que) — me admitan en la clase superior!

2. (Nos pide) / (Quiere) / (Nos pidió) / (Prometió) — que le contestáramos cuanto antes.

3. ¡(Qué) / ¡(Para que) / ¡(Que) / ¡(Sí) — tengáis un buen viaje!

4. (Le prometo) / (Le rogué) / (Le aseguro) / (Le suplico) — que usted me eche una mano para reparar este motor.

5. (Probable) / (Quizás) / (Puede ser) / (Es evidente) — les haya pasado algo grave.

6. (No quisieron) / (Estaban seguros de que) / (Afirmábamos) / (Dicen) — que les acompañáramos a la estación.

7. (Era frecuente) / (No convendría) / (Me extraña) / (Repito) — que pueda afirmar tales barbaridades.

8. El cabo (propone)
   El cabo (ordenó)
   El cabo (aseguró)
   El cabo (sugiere)

   al soldado que barriese el patio del cuartel.

9. (No estaría bien)
   (Veo con sorpresa)
   (Imagino)
   (No está bien)

   que salgas con este traje tan sucio.

10. ¡(Es lamentable)
    ¡(Yo no comprendía)
    ¡(Ojalá)
    ¡(Sentía mucho)

    no hubiera bebido tanto!

122. L'IMPARFAIT DU SUBJONCTIF (*cf.* G. 122 à 126)

A. Mettre au passé (imparfait, passé simple...) les phrases suivantes en faisant l'accord du subjonctif :

1. El doctor insiste para que hagamos este análisis.
2. Dudo que Gerardo consiga aprobar.
3. Es probable que el cartero haya pasado ya.
4. Siento mucho que no puedas prestarme este disco.
5. No puedo admitir que me contestes con grosería.
6. Quiero terminar esta versión antes de que anochezca.
7. Me extraña mucho que la secretaria no esté aquí todavía.
8. Estamos satisfechos con tal que nos dejen tranquilos.
9. Te espero hasta que sean las dos.
10. Le ruego (que) reciba mis saludos.
11. Busco un intérprete que sepa traducirme esta carta.
12. Te invitamos a cenar a no ser que estés ocupado.
13. No soporto que vuelvas con tanto retraso.
14. Es demasiado tarde para que vayas al mercado.
15. Me temo que vengan con todos sus hijos.
16. Tú vas a pedirles que traigan su raqueta de tenis.
17. Es normal que te pongas un abrigo con el frío que hace.
18. El Director desea que usted vaya a su despacho.
19. Me parece increíble que andes tan rápidamente.
20. Me gusta que usted se sienta bien en mi casa.

B. Modifier les phrases ci-dessous en employant l'imparfait du subjonctif chaque fois que cela est possible :

1. Había adelantado mucho desde que había llegado a Sevilla.
2. Me gustaría tener una buena salud.

3. El trayecto era mucho más corto de lo que había creído.
4. Querríamos pedirte el favor de acompañarnos.
5. De tener más tiempo, me habría quedado con placer unos días más en su chalet.
6. El aprendiz intentó hacer lo que le había dicho el amo.
7. Yo desearía saber cantar.
8. Castigó finalmente al que había amado.
9. Querría haber escrito esta novela.
10. Se habría dicho que el tiempo iba a cambiar.

C. Traduire :

1. Je ferai comme si je ne l'avais jamais vu.
2. Il travaille mieux seul que si on l'aidait.
3. Le temps est pire que si nous étions en hiver.
4. Il gagne moins d'argent à travailler que s'il était au chômage.
5. Il est plus fort que s'il avait mangé des épinards.
6. Il crie comme si on l'égorgeait.

123. LA PROPOSITION SUBORDONNÉE (*cf.* G 124)

A. **Es necesario quitar las piedras : los campesinos podrán cultivar la tierra ⟶ es necesario quitar las piedras para que los campesinos puedan cultivar las tierras.**

Era necesario quitar las piedras : los campesinos podían cultivar la tierra ⟶ era necesario quitar las piedras para que los campesinos pudieran cultivar las tierras.

D'après ces deux modèles, transformer les phrases suivantes :

1. Los campesinos tienen que remover la tierra : habrá cosechas.
2. Los campesinos tuvieron que remover la tierra : hubo cosechas.
3. Hay que cortar mucha leña : la chimenea calienta la sala.
4. Había que cortar mucha leña : la chimenea calentaba la sala.
5. Hace falta cuidar los árboles : los frutales no se marchitarán.
6. Hacía falta cuidar los árboles : los frutales no se marchitaban.
7. Es necesario tener mucha lluvia : el trigo crece.
8. Era necesario tener mucha lluvia : el trigo crecía.
9. La azafata hace muchos esfuerzos : los pasajeros estarán satisfechos.
10. La azafata hacía muchos esfuerzos : los pasajeros estaban satisfechos.
11. El médico propone una receta audaz : el enfermo recobrará la salud.
12. El médico propuso una receta audaz : el enfermo recobró la salud.
13. Los investigadores se afanan : el cáncer desaparecerá.
14. Los investigadores se afanaron : el cáncer desapareció.

B. **El oficial ordena a los soldados : ¡ Pónganse en fila ! ———→ El oficial ordena a los soldados que se pongan en fila.**

Selon ce modèle, mettre au discours indirect les phrases qui suivent (attention à la concordance des temps et à l'emploi des personnes !) :

1. El maestro me aconseja : « ¡ Lee tu ejercicio y hazlo de nuevo ! »
2. Nos dijeron nuestros amigos : « ¡ Venid lo antes posible ! ¡ Daos prisa ! »
3. Le suplico a Vd : « ¡ Tenga cuidado ! ¡ No pise las flores del jardín ! »
4. Te aconsejamos : « ¡ Suelta los hilos del teléfono ! ¡ Obedece pronto ! »
5. Emilio nos dijo con sorna : « ¡ Acercaos y cogedme ! »
6. Mamá nos prohibió : « ¡ No digáis cosas tan feas ! »
7. Ya te dijimos : « ¡ Diviértete pero no nos molestes ! »
8. Nos rogó el cliente : « ¡ Contéstenme a vuelta de correo ! ¡ no tarden ! »
9. Te lo digo una vez más : « ¡ Siéntate ahí y no te muevas más ! »
10. Nos avisó el policía : « ¡ Pónganse el cinturón de seguridad y circulen por la derecha ! »
11. Nuestros amigos nos sugieren : « ¡ Id a la estación y sorprendedles ! »
12. Nos recomendó el vendedor : « ¡ Compren este televisor ! Es barato. »
13. Alberto nos propone : « ¡ Venid conmigo al cine ! ¡ No me dejéis solo ! »
14. El maestro ordenó a sus alumnos : « ¡ Levantaos y salid ! »
15. Te suplico : « ¡ Haz menos ruido ! »

C. A l'inverse de l'exercice précédent, remettre à la forme directe les phrases suivantes :

1. Nos escribieron que les contestáramos por correo o que les telefoneásemos.
2. En el Metro, se aconseja a los viajeros que no empujen y que dejen salir.
3. El ama de casa ordenó a la chica que barriera el comedor y que hiciera la limpieza de las habitaciones.
4. El Director de Ventas prohibe a sus empleados que fumen en su despacho.
5. El empresario pidió a su secretaria que le preparara el informe para el día siguiente.
6. Su novia sugiere a Pedro que vaya con ella a hacer gestiones oficiales.
7. El turista extranjero me rogó que yo le indicara dónde estaba la calle de Alcalá.
8. Mis padres me recomendaron que no se me olvidara escribirles.
9. Propusimos a nuestro cuñado que viniera a cenar a casa.
10. El mendigo nos pide que le demos una limosnita.
11. Los pobres viajeros suplicaron a los ladrones que no los matasen y que los dejaran irse.
12. Dice el médico a su cliente que se siente y que abra la boca.
13. Le ruego al Director (que) se sirva concederme una entrevista.
14. Los fieles pidieron al obispo que les diera su bendición.
15. La publicidad aconseja a los teleespectadores que compren y que consuman.

D. Traduire :

1. Je te prie de m'écouter.
2. Nous lui avons dit de venir.
3. Ne bouge pas avant que ton père ne revienne.
4. Il insista pour que je lui donne le renseignement.
5. Nous n'étions pas sûrs qu'il nous ait dit toute la vérité.
6. Dis-leur de ne pas insister.
7. Il serait étonnant qu'il ne nous écrive pas.
8. Je ne suis pas content que tu aies abîmé ta bicyclette.
9. Nous avions beaucoup regretté qu'ils ne soient pas venus.
10. Je ne peux pas jouer du piano sans que mes voisins rechignent.
11. Tu nous enverras une lettre quand tu seras arrivé.
12. On donnera une bonne note à celui qui répondra le mieux.
13. Tant qu'il y aura de la vie, il y aura de l'espoir.
14. Tu peux sortir à condition de bien te couvrir.
15. Il serait regrettable que tu ne fasses pas un minimum d'efforts.
16. Tu deviendras plus fort à mesure que tu grandiras.
17. Je partirai en vacances dès que mes problèmes seront réglés.
18. Le dernier qui sortira fermera la porte.
19. On avait dit que celui qui parlerait serait puni.
20. Pourvu qu'il n'y ait pas d'embouteillages !

E. Former une phrase complète et cohérente en reliant les deux éléments qui la composent :

1. No se presentó al examen	A. que habría elecciones a fines del año.
2. Nos da una lección de humildad	B. hasta que me echen afuera.
3. Es cosa admitida por todos	C. que divirtiera a los pobres niños.
4. No quiso el nuevo Presidente	D. por temor de que le suspendiesen.
5. No me moveré de aquí	E. el que hubieras tardado tanto.
6. Desvalijaron la joyería	F. que hubiera elecciones a fines del año.
7. El nuevo Presidente prometió	G. que atendiese a los clientes.
8. El patrón pidió al dependiente	H. el que el hombre sea mortal.
9. No había ninguna ocupación	I. quel el trabajo es un tesoro.
10. Dio mucha inquietud a tu madre	J. sin que la policía se enterara.

123 bis. L'HYPOTHÈSE DANS LA PROPOSITION SUBORDONNÉE

A. Mettre au futur les phrases suivantes, en appliquant la concordance des temps :

1. Te llamo cuando te necesito.
2. El taxista llegó en cuanto las maletas estuvieron preparadas.

3. Hago como quieres.
4. Hago mis compras en la tienda que me propone los mejores precios.
5. Al primero que se mueve, lo frío.
6. Te esperaba donde había poco sol.
7. Hacemos lo que nos da la gana.
8. Mientras duerme el niño, su mamá le prepara su papilla.
9. Apenas se levantó el sol, los labradores salieron para el campo.
10. Todos levantaron la vista tan pronto como la chica se asomó al balcón.
11. Luego que llega la primavera brotan las violetas.
12. El empresario contrató al primer obrero que se presentó.
13. Todo lo que haces por mí me conmueve.
14. Quien va a Sevilla pierde su silla.
15. Me duele el hígado cuando como demasiado chocolate.

B. Mettre au conditionnel les phrases précédentes en appliquant la concordance des temps.

C. Mettre le verbe au temps et à la personne qui conviennent :
1. Me lo contarás cuando (venir) a verme.
2. No vacile Vd en decírmelo tan pronto como lo (saber).
3. Podéis subir a los árboles con tal que no los (estropear).
4. Cuando yo (morirse), enterradme en el cementerio de mi pueblo.
5. Iremos al museo del Prado en cuanto (llegar) a Madrid.
6. Cuando (crecer) los árboles, darán sombra.
7. Daré la información a quien me la (pedir).
8. Luego que (encender) la luz, correrás las cortinas.
9. Iré tomando apuntes conforme Vd (leerme) el documento.
10. De buena gana lo explicaría a quien me lo (preguntar).
11. Aumentaría el capital a medida que los suscriptores (ahorrar).
12. Créeme, iría contigo adonde (querer).
13. Mientras (tocar) los músicos, bailaríamos.
14. Me devolverías el dinero tan pronto como (necesitarlo).
15. Por la mañana iríamos a la playa tan pronto como (amanecer).

D. Traduire :
1. Nous l'attendrons sur le quai quand le train arrivera.
2. Nous trinquerons à sa santé dès qu'il aura fini son discours.
3. Tant qu'il y aura de la vie, il y aura de l'espoir.
4. Il me disait qu'il m'aiderait quand il aurait le temps.
5. Tu achèteras les plus belles pommes de terre que tu trouveras au marché.
6. Il répétait qu'il se reposerait dès que la saison serait terminée.
7. Le chien obéira à tous les ordres que tu lui donneras.
8. Le premier qui parlera sera puni.
9. Nous sortirons le bateau aussitôt que le vent faiblira.
10. Je ferais avec plaisir tout ce que tu me demanderais.

125. LA PHRASE CONDITIONNELLE

A. **Si hiciera buen tiempo, saldría a pasear.**

Selon ce modèle, employer les verbes entre parenthèses au temps et à la personne qui conviennent :

1. Si a usted le (dar) estos zapatos, yo (perder) dinero.
2. Si (llover) siempre como hoy, Aldeaseca no (llamarse) Aldeaseca.
3. Si yo (poder) soportar el clima del altiplano, (ir) al Perú.
4. Si tu abuelo (haber visto) esta libreta, (haberse muerto) en el acto.
5. Si (construir) buenas carreteras, los turistas (venir) como moscas.
6. Si lo (saber), te lo (decir).
7. Si (visitar) a Granada, (ver) lo hermosa que es.
8. No (preguntar) nada si me (decir) la verdad.
9. Claro que tú (poder) comprender si lo (querer).
10. Si me (dar) la oportunidad, (salir) a torear.
11. Te (hacer) mucho daño si te (herir) con este cuchillo.
12. Yo (dar) algunos pasos por el parque si (sentirme) mejor.
13. España (ser) un país muy rico si (producir) petróleo.
14. Nosotros (poder) ir a la piscina si tú (traer) tu traje de baño.
15. Si (andar) en los trigales, el campesino no (estar) contento.

B. **Si dejas abierta la puerta del salón, hará frío. ⟶ Si dejaras abierta la puerta del salón, haría frío.**

Selon ce modèle, transformer les phrases suivantes :

1. Si está reparado el coche, saldremos a la sierra.
2. Si se nos escapa el perro, será difícil atraparlo.
3. Habrá embotellamientos si los camioneros se declaran en huelga.
4. Tendrás que hacer autostop si pierdes el tren.
5. Te estoy muy agradecido si me puedes prestar algún dinero.
6. No tendrán lugar los campeonatos de esquí si no cae bastante nieve.
7. Haré muchos errores si traduzco esta versión.
8. Es capaz de cualquier locura si se pone a beber.
9. Si puedes alcanzar aquel cuadro, descuélgalo.
10. Llegaremos tarde si andamos tan lentamente.

C. **Si/atreverse/saber nadar/cruzar el río. ⟶ Si supiese nadar cruzaría el río.**

Sur ce modèle, construire des phrases conditionnelles avec les éléments proposés :

1. Si/hablar/a nadie/estar de mal humor.
2. Si/coser bien/un vestido/hacerse.

3. Si/conducir/tener buena vista/un coche.
4. Si/el perro/morderme/excitar/del vecino.
5. Si/ponerse/querer ser elegante/corbata.
6. Si/ir al circo/los payasos/hacer reír.
7. Si/poder cantar/traer/tu guitarra.
8. Si/tener miedo/entre los helechos/las serpientes/andar.
9. Si/jugar a las cartas/ser cuatro/en el salón.
10. Si/la torre Latinoamericana/todo México/poder ver/subir.

D. Compléter les phrases suivantes en mettant le verbe à la forme qui convient :

1. Como (sobrarme) tiempo, echaré una siesta.
2. ¡Siéntate un momento como (sentirse) cansado!
3. Los equipos se encontrarán otra vez como (haber) empate.
4. El torero hará una buena faena como no (ser) manso el toro.
5. Como (querer) ver mejor, ¡acércate!
6. Los ancianos se quedarán en casa como (nevar) demasiado.

126. LA PROPOSITION CONCESSIVE

A. **Por muy tonto que sea, siempre sabrá arreglárselas en la vida.**

D'après ce modèle, compléter les phrases suivantes en respectant l'emploi des modes et des temps :

1. Por ... (cansados) (estar), siguieron andando hasta el anochecer.
2. Por ... (obstáculos) (presentarse), sabré vencerlos.
3. Por ... (activo) (ser), no llevaría a cabo esta tentativa.
4. Por ... (hacer), no podrás imitarlo.
5. Por ... (actividades) (tener), el pobre seguía engordando.
6. Por ... (mala) (ser) la coyuntura, el poder adquisitivo cambia poco.
7. Por ... (protestar) tú, no modificarían sus proyectos.
8. Por ... (necedades) (afirmar) él, nadie le llevaba la contraria.
9. Por ... (agitarse) él, sus amigos no le hacen caso.
10. Por ... (suplicarle), tu padre no te daría el permiso.
11. Por ... (atascos) (retrasarle), él seguía conduciendo con mucha calma.
12. Por ... (mimarle) su madre, el niño no le estará agradecido.
13. Por ... (tener) cien años, parecería tan verde como un joven.
14. Por ... (tacaño) (ser), ayuda mucho a sus sobrinos.
15. Por ... (calor) (hacer), los ancianos seguían charlando al sol.

B. Compléter les phrases suivantes :

1. Por mucha paciencia que tuvieras, no ... (poder) soportar tal retraso.
2. Por mucha paciencia que tenías, no ... (poder) soportar tal retraso.

3. Por mucha paciencia que tengas, no ... (poder) soportar tal retraso.
4. Por mucha paciencia que tienes, no ... (poder) soportar tal retraso.
5. Por más que temía a su padre, ... (seguir) desobedeciéndole.
6. Por más que temiera a su padre, ... (seguir) desobedeciéndole.
7. Por muy obstinado que era, ... (acabar) por desanimarse.
8. Por más que te desvivas por él, nunca el (querer) agradecértelo.
9. Por mucho que lo quisieras, no lo ... (conseguir).
10. Por muy feo que es, su mujer le ... (amar) con mucho cariño.
11. Por muchos defectos que tuviera, su madre se los ... (perdonar).
12. Por mucho que se aplique, él ... (progresar) poco.
13. Por muy difíciles que eran las ecuaciones, Einstein ... (saber) resolverlas.
14. Por mucha prisa que se diera, ... (llegar) demasiado tarde.
15. Por mucha prisa que se dé, ... (llegar) demasiado tarde.

C. **«Aunque», a pesar de que»** (*cf.* G 91 et exercice 91, p. 40).

127. L'AFFIRMATION, LA CAUSE, LA CONSÉQUENCE (*cf.* G 123, § 4)

A. Voici une série d'expressions. Les compléter à volonté par un verbe employé à l'indicatif, au conditionnel, au subjonctif selon qu'il y a ou non une idée d'affirmation :

1. Me da mucha pena que ...
2. Nos prometen que ...
3. Está bien que ...
4. Estoy seguro de que ...
5. No estoy seguro de que ...
6. Te digo que ... (ordre)
7. Te digo que ... (déclaration)
8. Es normal que ...
9. Era evidente que ...
10. Veo que ...
11. El pretendía que ...
12. No pretendemos que ...
13. Creemos que ...
14. ¿Tú crees que ...?
15. La prensa anuncia que ...
16. No podemos admitir que ...
17. Es útil que ...
18. Es verdad que ...
19. No es verdad que ...
20. Nos pidieron que ...

B. De la même manière que dans l'exercice précédent, compléter les phrases suivantes par un verbe à l'indicatif, au conditionnel ou au subjonctif selon qu'il y a ou non interrogation indirecte, cause, conséquence ou hypothèse :

1. Saldré puesto que ... (hacer buen tiempo).
2. No saldré hasta que ... (hacer buen tiempo).
3. Sé que ... (ser la una).
4. No sé qué ... (ser la hora).
5. Si tú ... (venir), estaría contento.
6. No sé si tú ... (venir).
7. No sabía si tú ... (venir).
8. Si tú ... (venir), estaré contento.
9. Hacía tanto frío que ... (quedarme) en casa.
10. Ignoro quién ... (actuar) en esta película.
11. Yo contestaría mal a quien... (hablarme) mal.
12. Nos esperaron hasta que ... (salir).
13. Nos llevaremos bien ya que ... (ser) amigos.
14. No sabíamos por dónde ellos (pasar).
15. Solía madrugar si (estar) de vacaciones.

121 à 127. PETITE RÉVISION DES EMPLOIS PRÉCÉDENTS

Choisir la forme verbale qui convient :

1. ¡Ojalá ... contestar él a todas las preguntas del examen!
   a) sabrá b) sabe
   c) sepa d) supo

2. Estuvieron todo el día ...
   a) leyendo b) en leer
   c) a leer d) por leer

3. La gente llenaba las calles aunque ... a cántaros.
   a) llovió b) llovía
   c) lloviera d) llueva

4. Parecía que ... a salir el sol.
   a) iba b) fuera
   c) iría d) vaya

5. Como no ... demasiados pasteles, adelgazarás.
   a) comieras b) comieses
   c) comas d) comes

6. Esquiaremos toda la tarde si ... nieve.
   a) haya b) ha
   c) hay d) hubiera

7. No hablarás antes de que yo te lo ...
   a) dijera b) digo
   c) diré d) diga

8. Apenas el artista, todos se precipitaron hacia él,
   a) apareció b) aparezca
   c) apareciese d) hubiera aparecido

9. Ya que te ..., hablaré yo.
   a) callas b) calles
   c) calle d) callaras

10. El tren arrancó bruscamente y las maletas ... tiradas al suelo.
    a) fueron b) estaban
    c) estuvieron d) han sido

11. El fresco pudo entrar sin que nadie le ...
    a) viera b) viérase
    c) vio d) veía

12. Por aquí, no hay ningún bar donde ... cerveza.
    a) sirven b) servirán
    c) sirvan d) sírvase

13. Regálale el primer disco que ...
    a) encontrarás b) encontraras
    c) encuentres d) encuentras

14. Haremos lo que nos ... la gana.
    a) dará b) diese
    c) da d) dé

15. Luis prometió que ... una carta a su llegada.
    a) escribiría b) escribiese
    c) escribirá d) escribiera

16. Nos ... muchísimo que fumes en esta sala.
    a) molestó b) molesta
    c) molestamos d) molestaría

17. Es una lástima que ... abandonado este proyecto.
    a) hayas b) hagas
    c) has d) hubieres

18. Nadie sabía si el Ministro ... un discurso.
    a) pronunciara b) pronunciaría
    c) pronuncie d) pronunciará

19. La quiero como si ... mi propia hermana.
    a) era b) sea
    c) sería d) fuera

20. ... las cuatro de la tarde cuando los atracadores entraron en el Banco.
    a) era b) fueron
    c) serían d) estaban

128. LA NOTION D'OBLIGATION

Traduire :

1. Il faut manger pour vivre.
2. Je dois travailler pour manger.
3. Il faudrait que tu m'écrives.
4. Je dois respecter les vieillards.
5. Il doit être six heures.
6. Tu dois savoir (= sache) que Paul est malade.
7. Il faut voir cette exposition.
8. Il fallut agir avec prudence.
9. Je dois cent pesetas à mon cousin.
10. Il faudrait que je me fasse vacciner.
11. Il faut avoir du pétrole.
12. Vous devrez être ici à cinq heures.

129. DIFFÉRENTS ASPECTS DE L'ACTION

A. Trouver des constructions synonymes de celles qui sont soulignées :

1. Acostumbrábamos mirar el serial del lunes.
2. Procuraré llegar a tiempo la próxima vez.
3. Leyó de nuevo la carta de su tía.
4. Tu colega ha telefoneado hace poco.
5. Después de tanta lluvia, el patio se ha vuelto una verdadera charca.
6. El antiguo cartero ha venido a ser alcalde de su pueblo.

B. Donner une traduction du français « devenir » dans les phrases suivantes :

1. En otoño, las hojas de los árboles ... amarillas.
2. Frente al león, el domador ... verde de miedo.
3. La antigua Facultad ... un verdadero zoco.
4. En pocos meses, este niño ... un hombre.
5. La modesta Magerit del Siglo XVI ... la capital de España.
6. ... nervioso cuando se dio cuenta de que su coche no estaba reparado.
7. Quiero ... duro frente a la realidad de la vida.
8. ... viejo, ... muy pacífico.

130-131. VERBES IMPERSONNELS - VERBES AFFECTIFS

Traduire :

1. Il y avait trois jours qu'il n'était pas sorti.
2. Il y a eu de l'orage cette nuit.

3. Il neigera ou il gèlera cette nuit.
4. C'est à nous de jouer !
5. J'avais oublié de vous le dire, Madame.
6. J'ai beaucoup de peine à écrire dans cette langue.
7. Il nous arriva une aventure étonnante.
8. Nous eûmes l'idée d'entrer dans un cinéma.
9. Il eut tout à coup l'envie folle d'acheter un chapeau tyrolien.
10. Cela le fit rire.

CORRIGÉS DES EXERCICES

6. L'accent tonique.

A. « Otro día me preguntó mi madre qué era lo que yo pensaba hacer. Yo había visto a Manolete. Empezó más pobre y desgraciado que yo. Tú lo sabes. Y en poco tiempo se hizo millonario. Le compró una casa a su madre y un piano a su hermana. Amigos y admiradores le rodeaban siempre. Y la Prensa no hablaba más que de sus triunfos. Un día me arrimé a él, incluso llegué a tocarle, y vi que era de carne y hueso como yo. Hablaba tan bien como cualquiera y de lo que todo el mundo. No tenía un cerebro extraordinario como Einstein o como García Lorca. Era sencillamente un hombre como yo y como tú, como todos... Y si él había conseguido todo aquello sin ningún don especial, ¿ por qué no habría de lograrlo yo también ? Así que le contesté a mi madre que sería torero. Desde ese día tuve que luchar con ella, pero al fin me salí con la mía. »

B. Aquel día, en el café que está próximo a la estación del Éste, Juan y Antonio cenaron con muchísimo apetito. Éste pidió media botella de Jerez para acompañar los entremeses, y aquél sólo bebió agua con gas. Tras una conversación amistosa, fértil en anécdotas, súbitamente Juan se puso colorado y dijo con confusión, volviéndose hacia su comensal : « Dime, Antonio, no sé en qué estoy pensando, pero me doy cuenta de que esta mañana me fui de casa de prisa, y aquí estoy sin ningún dinero, ¡ fíjate! No sé dónde tengo la cabeza, se me olvidó también pasar por el Banco. Préstame dos mil pesetas, porque sin ti no sé qué hacer. Te las devolveré lo antes posible, créeme .» Antonio se rió : « Devuélvemelas cuando puedas, dijo prestándole la cantidad solicitada, eso no tiene importancia... » Y con algún tono de burla añadió : « No te cobraré ningún interés, no es mi carácter .»

7. L'article défini.

A. 1. El bigote del profesor.
2. La chimenea de la casa.
3. Hablo al director.
4. Lo diré a la secretaria.
5. La actuación del artista.

B. 1. Las hijas de los doctores.
2. Los periódicos de las semanas pasadas.
3. Contestad a las preguntas.
4. Las claves de los enigmas.
5. Las manos de los cirujanos.

7-8-9. L'article défini.

A. 1. el/la/las. - 2. el/el. - 3. de/el/la/las. - 4. los. - 5. el/la. - 6. la/al/señor Director/el señor Presidente/las/la. - 7. el/a. - 8. a Italia/Piamonte/la Toscana artística. - 9. los monumentos más famosos/la/el edificio más visitado.

B. 1. El águila negra anida en la cumbre de la alta sierra.
2. Se dice que la Adela tiene el alma cándida.
3. La amapola roja crece cerca del agua del arroyuelo.
4. El ama de casa tiene a veces la actividad más ingrata.
5. A la americana también le gusta el arma en la película del Oeste.
6. El ladrón disimuló la alhaja en el arca profunda.
7. El hacha del lañador cortó el tronco del haya.
8. El asta afilada del toro es una amenaza terrible para el torero.
9. El hada apareció detrás del árbol de la alameda.

10. Omission de l'article défini.

1. Este diplomático residió en el Perú, en el Ecuador y en Bolivia.
2. El Mulhacén es el pico más alto de España.
3. Los criminales más peligrosos eran mandados a presidio.
4. Visité Italia, Alemania, Suiza y los Estados Unidos.
5. La reina salió de Palacio para ir a misa.
6. Este aventurero ha vivido en Méjico, en el Perú y en el Japón. Sale mañana para la Alemania del Este.

11. L'article neutre «lo».

A. 1. Muchos espectadores reían en lo más dramático.
2. Sólo ves lo agradable del espectáculo.
3. No te fijes en lo comercial de esta película.
4. Lo que más me gustaba era ir al cine.
5. Habían colocado carteles en lo alto del edificio.
6. Lo delicado del español es la gramática.
7. Estoy todavía preocupado por lo del año pasado.
8. No hay que lamentar lo hecho.

B. 1. Es difícil decir lo guapa que es esta chica.
2. Date cuenta lo lluvioso que está el tiempo hoy.
3. Mira lo caras que están las alcachofas hoy.
4. Fíjate lo ricos que son estos empresarios.
5. No es fácil imaginar lo desagradables que fueron nuestras vacaciones.
6. Me acuerdo de lo amistosa que era su conversación.

12-13-14. L'article indéfini.

1. ... un ave...
2. ¡Vuelva Vd otro día!
3. De un trago se bebió media botella...
4. Después de tan fuerte emoción...
5. ... debe de tener unos cincuenta años.
6. ... le ofreció unos gemelos...
7. En semejante ocasión hay que actuar con cierta precaución.
8. ... unas cuantas tabernas.
9. Con gran amistad me dio una fuerte palmada...
10. El hacha... una herramienta... un arma terrible.
11. ... a tal velocidad... se siente otro hombre.
12. Hace unos días me comí medio kilo...
13. Iré a verte cualquier día para tener contigo una hora...
14. Era un hombre... Tendría unos sesenta años. Llevaba unos zapatos...

15-16-17-18-19. Le nom et l'adjectif.

A. 1. La directora es amable. acogedora y cortés.
2. Esta obrera es trabajadora, competente y hábil.
3. La profesora es catalana, de madre andaluza.
4. Nuestra doctora es una mujer bonachona, bastante regordeta.
5. La atleta es una muchacha joven y musculosa.
6. La superiora del convento es una mujer superior.

B. 1. El importante interés del banco inglés.
2. La canción triste del poeta bretón.
3. El factor económico actual y el problema industrial.

4. Este andaluz tiene una voz muy grave.
5. El tiburón es un pez muy feroz.
6. El análisis permitió descubrir el foco de la enfermedad.

C. 1. Los hijos de los marqueses son holgazanes, descarados y respondones.
2. Los bares de las ciudades sirven cafés muy ricos.
3. Los capataces desempeñan papeles difíciles en las grandes haciendas.
4. Los rajás pasan sus vacaciones en los hoteles suizos.
5. Los delegados marroquíes fueron acogidos por los ministros sudaneses.
6. Los jueves eran los días de recepción de los embajadores israelíes.

D. 1. El poeta japonés era un profesor reservado y humilde.
2. El artista español es un cantante conocido.
3. Fue un enemigo infiel, engañoso y traidor.
4. El rey anglosajón tenía un confidente hablador y taimado.
5. El emperador alemán aplaudió al actor irlandés.
6. El bailarín argentino es amigo del doctor.

19. Pluriel du nom et de l'adjectif.

1. Los peces nadan en los ríos, en los rincones donde las aguas son profundas.
2. Los jabalíes son animales feroces y rencorosos.
3. Los tisúes grises de los jubones de los gentileshombres.
4. Los lápices azules sirvieron para escribir las canciones.
5. Los jueces examinaron los rubíes abandonados por los ladrones.
6. Las crisis económicas afectan los sectores agrícolas e industriales.
7. Estos jóvenes tienen miradas vivaces e inteligentes.
8. Los dominós son juegos apreciados por los viejos maestros.
9. Cualesquiera que sean las dificultades, los arquitectos iraníes las resuelven.
10. Las maestras, que eran muy corteses, le parecieron mujeres superiores.
11. Los poetas alemanes harán conferencias los miércoles.
12. Los convoyes militares pasan por los arrabales de las grandes ciudades.
13. Los jóvenes papás esperan a sus hijos a la salida de los colegios.

20-21. Les diminutifs.

1. mozuelo, mocito.
2. Luisito, Luisillo.
3. señorita.
4. huevecito.
5. ahorita.
6. hombrecito.
7. cochecito.
8. panecito.
9. vientecillo.
10. amiguita.
11. reyezuelo, reyecito.
12. cerquita.
13. arbolito.
14. Carmencita.
15. pastorcito.
16. florecita.
17. liebrecita.
18. calorcito.
19. trocito.
20. bajito.
21. doctorcito.
22. jovencito.
23. mesita.
24. manita.
35. lucecita.
26. perrito.
27. trenecito.
28. niñita.
29. leccioncita.
30. piececito.
31. papelito.
32. librito, librillo.
33. rapazuelo.
34. cuernecito.
35. papaíto.
36. vaporcito.

23. Suffixes exprimant l'idée d'un coup donné.

1. una pincelada. - 2. a codazos y a puñetazos. - 3. sablazo. - 4. la estocada. - 5. un martillazo. - 6. balazos y cañonazos. - 7. a puñaladas. - 8. portazos/fusilazos.

24. Suffixes collectifs.

1. arrozal. - 2. patatal. - 3. pinar. - 4. encinar. - 5. castañar. - 6. robledal. - 7. manzanar. - 8. fresneda. - 9. pedregal. - 10. lodazal. - 11. zarzal. - 12. barrizal. - 13. - cañar, cañaveral.

25-26. Les comparatifs.

A. 1. tan/como. - 2. tanto/como. - 3. tan/como. - 4. tanto/como. - 5. menos/que. - 6. tanto/como. - 7. más/que. - 8. más/de la que. - 9. más/de lo que. - 10. menos/de lo que. - 11. tantas/como. - 12. tan/como. - 13. menos (= peores)/de lo que. - 14. tan/como. - 15. más (o menos)/de lo que. - 16. más/del que.

B. 1. No tengo tanta paciencia como tú.
2 Visto desde cerca, es menos alto de lo que creía.
3. Estaremos mejor en el comedor que no en la cocina.
4. Salieron tan pronto como habían entrado.
5. Trataré de traducir este texto tan fielmente como lo pueda.
6. Ven a verme tantas veces como quieras.
7. No podemos salir tanto como lo quisiéramos.
8. Tiene mejores resultados de los que tenía el año pasado.
9. El oro vale mucho más que la plata.
10. Bebo tanto vino como agua.
11. Este problema es mucho más fácil de lo que parece.
12. El hermano mayor le causó más cuidados que no el más joven.
13. No habrá tanta gente como el año pasado.
14. Este cazador es menos certero de lo que pretende.
15. Es tan tonto como presumido.

27. Traduction de « autant ... autant ».

1. Cuantos (tantos) hijos, tantos problemas.
2. Cuantos (tantos) excesos de velocidad, tantos accidentes.
3. Cuan trabajador es Luis, tan perezoso es su hermano.
(ou : Tanto Luis es trabajador como perezoso su hermano.)
4. Cuanto le admiré antes, tanto le desprecio ahora.
(ou : Tanto le admiré antes como le desprecio ahora.)
5. Cuan guapa es la madre, tan fea es la hija.
(ou : Tan guapa es la madre como (es) fea la hija.)
6. Cuan verde es el Norte, tan desértico es el Sur.
(ou : Tanto el Norte es verde como desértico el Sur.)
7. Cuanto quiero a mi padre, tanto le temo.
(ou : Quiero tanto a mi padre como le temo.)
8. Cuantos (tantos) amigos, tantas alegrías.

28. Traduction de « plus ... plus », « moins ... moins ».

A. 1. cuantas más/más. - 2. cuanto más/más. - 3. cuanto más/más. - 4. cuanto más/más. - 5. cuanta más/más. - 6. cuantos más/más. - 7. cuanto más ... más. - 8. cuanto más/más. - 9. cuantas más/más. - 10. cuanto menos/más.

B. 1. Cuanto más viaja, más quiere viajar.
2. Cuanto más viejos se hacen sus padres, más los quiere.
3. Cuantas menos dificultades hay, más errores hace.
4. Cuanto menos trabajamos, menos queremos trabajar.
5. Cuanto menos comas, mejor te encontrarás.
6. Cuanto menos hables, menos tonterías dirás.
7. Cuanto más viejos somos, más experiencia tenemos.
8. Cuanto más calor hace, más nervioso se pone.
9. Cuantos más libros tiene, menos lee.
10. Cuantos más recursos tiene, más dinero le gusta gastar.

29. Traduction de « d'autant plus ... que », « d'autant moins ... que ».

A. 1. Leía con tanta más pasión cuantos más libros le prestaban.
2. Corre con tanta más velocidad cuanto más joven es.
3. Habla con tanta más precipitación cuanto más nervioso es.
4. Trabaja con tanto más ardor cuanto mejor le pagan.
5. Come con tanto más apetito cuanto mejor cocinera es su madre.
6. Progresa con tantos menos esfuerzos cuanto más inteligente es.
7. Compra tantos menos tebeos cuanto más numerosa es su familia.
8. Merece tanto más la victoria cuantas más dificultades ha tenido.
9. Le pareció tanto más famosa la cerveza cuanta más sed tenía.
10. Tenía tanta más impaciencia para llegar cuanta menos gasolina tenía.

B. 1. Caminaba con tanta más pena cuanto más cansado estaba.
2. Hablaba con tanta más prisa cuantas más dificultades tenía...
3. Trabajaba con tanto más ardor cuantos más resultados obtenía.
4. Bebe ahora tanta más agua cuanto más vino bebía antes.
5. Consumimos tanto más carbón cuantas menos reservas de leña tenemos.
6. Afirma las cosas con tanta más convicción cuantos menos argumentos tiene.
7. Estoy tanto más contento cuantos más días de vacaciones...
8. Hace tanto más frío cuanto peor funciona...
9. Se apegan a la tierra con tanto más ardor cuanto más dura es.
10. Robaba con tantos menos escrúpulos cuanto más ricos eran los dueños.

C. 1. Estoy tanto más triste (cuanto) que estamos en invierno.
2. Estamos tanto más encantados (cuanto) que nos acompañarán nuestros padres.
3. Tengo que irme, tanto más cuanto que me están esperando.
4. Le encuentro tanto más simpático (cuanto) que es mi primo.
5. Me siento tanto más aliviado (cuanto) que habrá un doctor con nosotros.
6. Estaba tanto menos arrogante (cuanto) que le habían sorprendido robando.
7. Hubiera tenido que irse más temprano, tanto más (cuanto) que yo le había avisado.
8. Me siento tanto menos a gusto (cuanto) que no estoy en mi casa.

30. Le superlatif relatif.

1. Es el día más caluroso que hemos tenido este mes.
2. La panadería del pueblo es la tienda más moderna de todas.
3. La mejor película que nunca he visto era la de Fellini.
4. Es la menor cosa que podemos hacer para él.
5. Méjico es una gran ciudad, la ciudad más poblada de América Latina.
6. Diciembre había sido el mes peor que habíamos conocido.
7. Nuestros vecinos son las personas más amables que se puede imaginar.
8. Las pinturas de Velázquez me parecen las obras más representatives del Siglo de Oro.
9. Es el museo menos interesante que nunca he visitado.
10. El día más largo del año es el 21 de junio.
11. Juan es el mejor estudiante de la Universidad; es el chico menos vanidoso que yo conozco.
12. Para mí, la situación peor, la situación más trágica, es no tener amigos.

31. Le superlatif absolu.

A. 1. interesantísimo.
2. guapísima.
3. facilísima.
4. eficacísima.
5. divertidísima.
6. notabilísima.
7. acérrimo.
8. riquísimo.
9. amabilísima.
10. simpatiquísimas.
11. encantadísimos.
12. felicísimo.

B. 1. pequeñísimo
2. ferocísimo.
3. agradabilísimo.
4. valentísimo.
5. modestísimo.
6. capacísimo.
7. miserabilísimo.
8. celebérrimo.
9. altísima.
10. paupérrimo (pobrísimo).
11. sequísimo.
12. bajísima.
13. inteligentísimo.
14. libérrimo.
15. blanquísima.
16. anchísima.

32-33. L'apocope.

A. 1. ningún trabajo. - 2. alguna preparación. - 3. recién planchado; con gran timidez. - 4. un día malo; un día de mal agüero. - 5. construída recientemente; su Santo Patrón es San Pablo. - 6. edificio grande; más de cien años. - 7. cualquier cosa. - 8. ninguno de estos libros; hay uno bueno. - 9. ciento dos años; no padecía achaque alguno. - 10. cualquiera que sea; será algún día. - 11. la primera bocacalle. - 12. Francisco Primero. - 13. el primer libro; un buen libro.

B. 1. algún/alguna/alguno. - 2. buenos/buen/bueno. - 3. cualquiera/cualquier. - 4. mal/malo/malo/mala/malos. - 5. ninguna/ninguna. - 6. cien/cien/ciento. - 7. un/uno/una/una. - 8. recientemente/recién/recién. - 9. gran/grande/gran/gran. - 10. primer/primera/primer. - 11. santos/san/santo/santo/san/santas/santa/santa. - 12. tan/tanto/tanta.

34-35-36-37. La numération.

A. 1. setecientos once/mil cuatrocientos noventa y dos. - 2. mil quinientos cuarenta y siete/sesenta y nueve. - 3. doscientos mil/quinientas dos mil cuatrocientas setenta y nueve/mil novecientos ochenta y seis. - 4. mil ochocientos ocho. - 5. novecientos nueve mil novecientos noventa y nueve/setenta y siete mil setecientas siete. - 6. mil novecientos ochenta y uno/treinta y siete millones ochocientos mil.

B. 1. la octava maravilla. - 2. Luis Trece / Felipe Cuarto. - 3. Los dos tercios (las dos terceras partes). - 4. Felipe Segundo/el siglo dieciseis. - 5. un cien milésimo. - 6. soy el tres mil seiscientos veintidós. - 7. un cincuentavo. - 8. los siete octavos. - 9. Fernando Séptimo/Carlos Cuarto. - 10. un trescientos sesentavo. - 11. Luis Catorce/Felipe Cuarto. - 12. la centésima/la milésima.

C. 1. Todos los miembros de la familia recibieron sendas cartas.
2. Los nadadores avanzaron entrambasaguas.
3. Los dos peatones hicieron une pregunta al guardia; éste les contestó a entrambos.
4. Los soldados desfilaban con sendos fusiles.
5. Había unas cincuenta casitas cerca del río.
6. En ambas márgenes del río paseaba gente endomingada.
7. Estos dos hermanos son mellizos; ambos son pelirrojos.
8. Los manifestantes corrían con sendas banderitas.

38-39. Les possessifs.

A. 1. Amad a vuestros prójimos.
2. Un amigo tuyo ha preguntado por ti durante tu ausencia.
3. Los soldados deben obedecer a sus superiores.
4. Este paraguas es suyo, señora, no es el de su marido.
5. Es un egoísta, no piensa más que en lo suyo.
6. Tenemos nuestros motivos y sin duda tenéis los vuestros.
7. Esta grabadora no es suya, señor, es la de su colega.

8. Siento mucho decírselo, señores, pero sus modales no me gustan.
9. No te metas en lo mío, no me meteré en lo tuyo.
10. Compañeros, el Director os espera para que le digáis vuestras opiniones y vuestros deseos sobre el caso.
11. Niños, estos juguetes no son vuestros. Jugad con vuestras bicicletas que están allí.
12. Siéntese cada uno en su silla ; ésta es la suya, señora.
13. Aprende tu lección ; la mía, la sé ya.
14. Créanos, querido amigo : estos cigarrillos son los nuestros, no son los suyos.

B. 1. A mi vecina se le murió el marido.
2. Se nos estalló el neumático durante el viaje.
3. Se nos presentó a la vista un espectáculo extraordinario.
4. Se le ha pasado por la cabeza alguna idea extraordinaria.
5. Las lágrimas se le escurrían por la cara.
6. A usted se le ha caído el pelo.
7. Se os han acabado las cerezas del huerto.
8. Se os enfermó la hija menor.
9. Se nos escapó el perro.
10. La escena se te salió de la memoria.
11. Se le han arrugado las facciones.
12. ¿ Se te pasado el mal humor ?
13. Se le subió a la cabeza un color súbito.
14. El techo de la casa se os vino abajo.

40-41. Les démonstratifs.

A. 1. ¿ de quién ?/esas gafas. - 2. aquel pico/¿ cuál es ? - 3. este/aquél. - 4. estas/aquéllas. - 5. ese/esas. - 6. eso. - 7. ésta/aquellos. - 8. aquel/aquella. - 9. esta/ésa. - 10. este/eso.

B. 1. estos/aquéllos. - 2. esos/éstos. - 3. aquellos/éstos. - 4. aquello/esto. - 5. estas/ésas. - 6. eso. - 7. estos/ésos. - 8. aquellas/éstas. - 9. estos/aquéllos. - 10. estas/esos.

42-43-44-45. Traduction de « c'est ».

A. 1. Fue Sebastián El Cano quien dio la vuelta al mundo por primera vez.
2. En Tordesillas fue donde se firmó el famoso tratado.
3. En diciembre es cuando hay los días más cortos.
4. Zambulléndose en el agua, así es como se pescan las ostras.
5. Fue a orillas del Tormes donde nació Lazarillo.
6. Tendido en la playa, allí es donde lo encontrarás.
7. Fue anteayer cuando la encontré.
8. Fue con mucho placer como nos acogieron.
9. Son los que prometen mucho los que no cumplen con su palabra.
10. Fue por los años cincuenta cuando recibí su última carta.
11. Son las perlas mayores las que tienen más valor.
12. Será con gran aplicación como terminará su tarea.
13. No somos nosotros los responsables.
14. No fui yo quien lo dije ; fueron ellos.
15. ¿ Quién lo ha repetido ? ¿ fuiste tú o fuisteis vosotros ?
16. Fue de eso de lo que hablamos todo el día.
17. Por ella es por quien lo hago.

B. 1. Es él el último, soy yo el primero.
2. Somos nosotros los que nos levantamos más temprano durante las vacaciones.
3. ¿ No eres tú quien has ganado el partido de tenis ?
4. Son los Portugueses quienes se han instalado en el Brasil.
5. No es a usted, señora, a quien mentiría.
6. ¿ Sois vosotros, niños, los que habéis roto el cristal del salón ?

C. 1. Es en el cajón del armario donde están mis pañuelos.
2. Fue un vecino quien me ayudó para empapelar el salón.
3. Era de ti de quien estábamos hablando.
4. Es en junio cuando termino la carrera.
5. Fue a mis abuelos a quienes escribí anoche.
6. Fue con mucha amabilidad como me acogió el nuevo director.
7. Soy yo quien le acompaño hasta su despacho.
8. Fue hacia el cementerio hacia donde se dirigieron los motoristas.
9. Fue porque me sentía nervioso por lo que le contesté tan duramente.
10. Es al guardia a quien me dirijo para tener la información.
11. Es la golondrina la que anuncia la primavera.
12. Es nuestro tío Juan quien cena con nosotros esta noche.
13. Seremos nosotros quienes le acompañaremos a la estación.
14. Fue en las excavaciones donde fue descubierto el esqueleto.
15. Es por la Calle Mayor por donde paso para ir al colegio.
16. Es la serpiente la que me da más miedo.
17. Es del nuevo bachillerato de lo que hemos hablado en clase.
18. Es porque no estoy cansado por lo que no me siento.
19. Será dentro de dos años cuando el general se jubilará.
20. Es tomando este camino como se puede llegar al pueblo.

46. Traduction de « voici », « voilà ».

1. ¡ He aquí la primavera !
2. Aquí tienes lo que te debo.
3. Mira, ¡ ahí viene tu hermano !
4. Eso es buen trabajo.
5. ¡ Heme aquí !
6. Ahí está tu chaqueta, aquí está la mía.
7. Éstas son mis razones.
8. ¡ Ahí viene el cartero !

47-48-49-50. Les relatifs.

1. que. - 2. lo que. - 3. que. - 4. cuantas. - 5. a quien. - 6. que. - 7. - a dónde. - 8. de quien. - 9. el que. - 10. la cual. - 11. cuantos. - 12. - a quienes. - 13. el cual. - 14. en que. - 15. quien. - 16. cuanto. - 17. la cual. - 18. lo cual. - 19. quién. - 20. en el que. - 21. quienes. - 22. quien. - 23. las que. - 24. lo que. - 25. quien.

51. Traduction de « dont » par CUYO.

1. Es un autor poco conocido cuyas obras no han sido nunca editadas.
2. Toma este medicamento cuyos efectos son sorprendentes.
3. Es un nuevo colega cuyo nombre no sé todavía.
4. Mira esta casa cuyas ventanas están adornadas de flores.
5. Tiene un coche nuevo cuyo motor es de quince caballos.
6. Era una iglesia cuyas campanas han desaparecido durante la guerra.
7. El Canadá es un gran país cuyos habitantes son acogedores.
8. Pronunció unas palabras cuyo sentido me pareció oscuro.
9. Era un extranjero cuyos modales eran curiosos.
10. Quería escribir a su primo cuya dirección no recordaba.
11. Fuimos recibidos por el alcalde cuya amabilidad nos encantó.
12. Cruzó una calle cuya anchura le asombró.
13. Pasaron a nado el río cuya profundidad no conocían.
14. Era un cielo de noviembre cuyas nubes no dejaban pasar el sol.
15. La isla era un paraíso cuyos perfumes nos embriagaban.

52. Préposition + CUYO.

1. Es un árbol poco frondoso entre cuyas ramas ...
2. Sigue hasta la iglesia a cuya izquierda verás ...
3. Visitamos una casa andaluza en cuyo zaguán vimos ...
4. Zamora es una ciudad histórica bajo cuyas murallas ...
5. Es un sinvergüenza de cuyas palabras no me fío.
6. Granada es una perla en cuyos jardines se respira ...
7. San Gregorio de Valladolid es también un museo dentro de cuyos muros ...
8. Es difícil la lengua vasca de cuyos orígenes ...
9. Es un viejo caserón sobre cuyas paredes han fijado carteles.
10. Es un coto de caza fuera de cuyos límites se ven ...
11. Se acercó a la ventana detrás de cuyos cristales se distinguía el jardín.
12. En la niebla apareció la mole de la montaña a cuyo pie ...
13. Era una fábrica de cerámica por encima de cuyos tejados ...
14. Aquí está el garaje por cuya ventana ...
15. Desfiló todo el regimiento a cuya cabeza ...

53. Traduction du relatif « où ».

1. Este es el pueblo donde pasé mis vacaciones.
2. Es la hora a la que pasa el tren.
3. Es la hora cuando regresan los rebaños.
4. Avanzó hacia donde había oído ruido.
5. ¿ Podré salirme del trance en que estoy ?
6. El cine donde proyectan películas del Oeste.
7. Dime por dónde has pasado.
8. Esta es la cama en que murió.

54-55-56. Les pronoms personnels.

A. 1. Yo te repito que espero verte la semana que viene.
2. Señora, ¿ le he dicho que me gustaría volver a verla ?
3. Vosotros debéis obedecer, niños ; si no, vosotros iréis a acostaros sin postres.
4. Cuando ustedes se hayan sentado, señoras y señores, nosotros podremos decirles cuánto nos gusta acogerles aquí.
5. Me miró y se puso a hablarme ; yo no supe qué contestarle.
6. Ven conmigo ; yo te explicaré cómo habrá que contestarles.
7. Juana está enamorada de Pablo y sólo habla de él. Pero él, el egoísta, no piensa más que en sí mismo.
8. Si vosotros os dais prisa, niños, (vosotros) veréis a vuestro abuelo. Decidle que yo quisiera hablarte y darle las gracias.
9. Usted se burla de nosotros, señor ; ya le hemos dicho que no queríamos más encontrarle aquí.
10. Después de usted, señora, la ruego que se sirva, usted me dará gusto.
11. Contigo o sin ti, tú lo sabes ya, él hará lo que tiene decidido.
12. Nosotros le conocemos a usted, señor. ¿ No es usted nuestro nuevo vecino ?
13. Cerca de vosotros, amigos, todo nos parece mejor, (nosotros) nos atrevemos a decíroslo.
14. ¿ Tú ves dónde están los niños ? Acerquémonos a ellos, no les digamos que (nosotros) estamos aquí y escuchémoslos.
15. El guardia lleva siempre su revólver sobre sí.

B. Deténganse/No tienen que blandir los puñales/He hecho más que ustedes/y ya ven ustedes/no los toquen.

C. 1. ¡ Cerrad la puerta y sentaos !
2. Decidme por qué calle habéis pasado.

3. Os lo ruego, ¡ poneos a vuestras anchas y divertíos !
4. ¿ Podéis indicarme dónde está el edificio de Correos ?
5. Pasad un buen fin de semana y no penséis más en vuestras preocupaciones.
6. ¡ No tengáis miedo ! ¡ Acercaos !
7. ¡ Haced un buen viaje y no olvidéis la familia !
8. ¿ Por qué os preocupáis tanto por estas tonterías ? ¡ Dejadlas !
9. Escribidle para decirle cuándo vendréis.
10. Repetidme lo que me dijisteis ayer.
11. Hacedme el placer de seguirme.
12. ¡ Pasad ! Os atiendo en seguida, ¡ tened un poco de paciencia !

57. Le pronom enclitique.

1. acabó por venderlo. - 2. saltándolos. - 3. enséñamelo. - 4. empujándolas. - 5. dínosla. - 6. cómpramelos (cómpranoslos). - 7. sólo leyéndola. - 8. repetídnoslo. - 9. afirmándonos. - 10. dígales. - 11. reservádnoslo. - 12. me la prestará. - 13. póntelas. - 14. explícanosla.

58. Ordre des pronoms.

1. repítemelas. - 2. devuélvenosla. - 3. no se lo digáis. - 4. está abriéndonosla. - 5. ayudadme. - 6. no nos los devuelvas. - 7. destápemela. - 8. prestádnosla. - 9. no me las deis. - 10. está leyéndomela. - 11. no quiere enseñárnoslas. - 12. envolvédselo. - 13. sigue limpiándomela. - 14. se lo digo. - 15. usted va a preparármelo. - 16. no me lo traigáis. - 17. telefoneádmela. - 18. no me lo preparéis. - 19. se lo presto. - 20. no quiero decírselo.

57-58. Ordre des pronoms compléments.

1. vas a repetírnoslas. - 2. el chófer puede indicároslo. - 3. el chófer puede indicárselo. - 4. no se atreven a decírtelo. - 5. voy a traducírselo. - 6. basta con pedírmelo. - 7. cómpratelo.

59. Pronoms personnels qui suivent une préposition.

1. Ha salido conmigo.
2. Hay que tener sobre sí la documentación de identidad.
3. Según yo, va a llover.
4. Repite después de mí.
5. Me siento bien cerca de usted, señora.
6. Sentaos.
7. Pon esta silla entre tú y yo.
8. Han hablado de ti y de mí.
9. Ya no me hables de ellos.
10. Levantaos, es a vosotros a los que hablo.
11. Todos lo saben menos (excepto, salvo) yo.
12. Nos dice que hay un muro detrás de nosotros.
13. Cada problema lleva en sí su solución.
14. Ven cerca de mí, haz como yo.
15. Cada verdad es buena en sí.
16. Iré con vosotros, amigos.
17. Iré con usted, señor.
18. Es un buen día para usted, señora.
19. Para nosotros la fortuna.
20. Se dirige a ella, luego a ti.

62. Pronoms personnels compléments (3e personne).

1. dádsela. - 2. seguiré pidiéndoselo. - 3. acabará por robárselas. - 4. vas a abrírselas. - 5. voy a explicárselo. - 6. ¿ quieres ir a dárselas ? - 7. se las dejaré. - 8. mándasela. - 9. se lo traigo. - 10. está arreglándoselos/sólo se los devolverá mañana. - 11. ¿ por qué no se las ofrece usted ? - 12. después de arrancárselo. - 13. ¿ quieres ponérselas ?/yo se las llevaré. - 14. vamos a comunicársela. - 15. llevádselas. - 16. no se los estropees. - 17. no hay que manchárselas. - 18. se los corregiré. - 19. se lo devolveré sin tardar/se lo prometo. - 20. están actualmente reparándoselo. - 21. mostrádmelo. - 22. cantémosela. - 23. los niños del pueblo se las robaban. - 24. los editores siguen mandándosela.

63. Pronoms explétifs.

A. 1. Se le llenaron los ojos de lágrimas porque se le rompió (se le había roto) la espada.
2. Se le enrojeció la nariz y se le helaron las orejas.
3. Se le erizaron los cabellos.
4. Se nos subió el alcohol a la cabeza.
5. A don Quijote se le secó el cerebro.

B. 1. La maleta, me la llevé a la consigna.
2. Me he comido la mitad de una naranja.
3. Se puso un huevo entero en la boca.
4. Se tragó casi medio kilo de carne.
5. Se pusieron la camisa.
6. Me bebí más de un litro de cerveza.
7. El bulto pesaba mucho, me lo llevé a hombros.
8. Mañana me traeré un bocadillo.

64. Modifications orthographiques.

A. 1. ¡ sentaos !
2. ¡ poneos !
3. ¡ acercaos !
4. ¡ levántense ustedes !
5. ¡ Idos !
6. ¡ vestíos !
7. ¡ daos prisa !
8. ¡ acostaos !
9. ¡ caliéntense ustedes !
10. ¡ defendeos !
11. ¡ sonaos !
12. ¡ enriqueceos !
13. ¡ disimúlense ustedes !
14. ¡ callaos !
15. ¡ uníos !
16. ¡ servíos !
17. ¡ quéjense ustedes !
18. ¡ divertíos !

B. 1. ¡ peinémonos !
2. ¡ escondámonos !
3. ¡ tendámonos !
4. ¡ lavémonos !
5. ¡ reunámonos !
6. ¡ démonos prisa !
7. ¡ esforcémonos !
8. ¡ perdámonos !

C. 1. ¡ poneos de acuerdo !
2. ¡ Idos en seguida !
3. ¡ confesádmelo !
4. ¡ acercaos y quitaos el sombrero !
5. ¡ daos prisa y dirigíos hacia la playa !
6. ¡ defendeos y resistidles !
7. ¡ ponte de rodillas y concéntrate !
8. ¡ poneos los zapatos y vestíos !
9. ¡ acercaos y volveos hacia la pared !
10. ¡ cállate y súmete en tus pensamientos !

66-67-68-69. Les interrogatifs.

1. cuál.
2. qué.
3. a dónde.
4. dónde.
5. cuánto.
6. qué.
7. dónde.
8. quién.
9. quién.
10. qué.
11. quiénes.
12. cuál.
13. qué.
14. cuántos.
15. cuántos.
16. cuánto.
17. cuál.
18. quién.
19. cuál (cuáles).
20. qué.

70. La phrase exclamative.

1. ¡ qué tiempo más malo !
2. ¡ qué obra tan maravillosa !
3. ¡ qué señora más amable !
4. ¡ qué temperatura más primaveral !
5. ¡ qué actor tan sutil !
6. ¡ qué luna tan redonda !
7. ¡ qué sopa tan sabrosa !
8. ¡ qué gente más divertida !

47 à 53. Relatifs. - 66 à 69. Interrogatifs (récapitulation). - 70. Exclamatifs.

1. cuándo.
2. cuánto/cuánto.
3. quiénes/que.
4. porqué.
5. que/qué.
6. qué.
7. con lo cual.
8. cuán.
9. cuál/cuál/cuántos.
10. cuánto/cuándo/dónde.
11. cuanto (lo que)/qué.
12. por qué/porque.
13. quién/cuántos/cuántas.
14. dónde/cuál/qué.
15. qué/qué.
16. cómo/donde.
17. cuánto/lo que.
18. hay quien dice que ...
19. cómo/que.
20. quiénes/quién.
21. con quién.
22. el que.
23. qué/que.
24. adónde/por qué.
25. con cuya.
26. qué/qué.
27. que/quiénes/por qué.
28. quien/quien.
29. donde/el cual.
30. qué/cuántos.

72 à 78. Prépositions.

A. 1. a.
2. por.
3. por.
4. para.
5. de.
6. de/con.
7. por/con.
8. por.
9. con/en.
10. de/de/al.
11. con/con.
12. de/de.
13. de/al/con.
14. para/a/de/de/por/de.
15. por/a/de.
16. en/en.
17. a/para.
18. hacia/sin.
19. de/desde.
20. para/en/de.
21. de/después de.
22. por/en.
23. en lugar (en vez) de/con.
24. por/para.
25. sin/desde.
26. sin/sin.
27. para/a/por.
28. contra/de/al.
29. para/de.
30. con/de/del.

B. 1. por
2. por
3. hasta
4. desde
5. para
6. en
7. para
8. con
9. con
10. a
11. con
12. de
13. para
14. por
15. de
16. con
17. de
18. con
19. de
20. por/por

C. 1. me amenazó con decirlo.
2. cuelga del techo.
3. le cogió de la mano.
4. se presentó de candidato.
5. montar en bicicleta.
6. monta a caballo.
7. pasarse sin fumar.
8. se pasa con poco.
9. se acercaron a nosotros.
10. estamos en vísperas.
11. acabar con esta dificultad.
12. acabó por decírmelo.
13. no me venga con cuentos.
14. desconfío de él.
15. soñé con fantasmas.
16. huele a rosas.
17. vacilaron en contestar.
18. dieron la vuelta al mundo.
19. el primero en contestar.
20. subirse a los árboles.
21. no puedo menos de hacerlo.
22. se ocupa mucho en su oficio.
23. sabe a quemado.
24. dieron de palos.
25. se disfrazaron de piratas.
26. reflexiona mucho en su trabajo.
27. abdicó en su hijo.
28. quédese con la vuelta.
29. me encontré con él.
30. está de abogado.
31. no gusto de bromas.
32. se pusieron de rodillas.
33. no entiende de matemáticas.
34. se sale con la suya.
35. echaron en (por) tierra.
36. sembraron con patatas.
37. está loco con su nieto.
38. está sin abrir.
39. se abalanzó a los peligros.
40. se deleitaron en oír.

79-80-81. Adjectifs et pronoms indéfinis.

A. 1. a
2. c
3. d
4. c
5. a
6. b
7. c
8. a
9. d
10. b
11. b
12. c
13. a
14. d
15. b
16. d
17. c
18. a
19. a
20. a

B. 1. todos los lunes. - 2. ninguno. - 3. cualquier. - 4. cada uno. - 5. dos alumnos de cada tres. - 6. me siento bastante nervioso. - 7. con ambas manos. - 8. cualquiera. - 9. enséñame alguno de tus dibujos. - 10. hay algo nuevo. - 11. pocas pesetas. - 12. dame mucha agua y poco vino.

C. 1. No tenemos ningún talento para la pintura.
2. ¿ Hay en alguna parte una hoja de papel ?
3. No hay nada nuevo, no he tenido ninguna respuesta (respuesta alguna).
4. Cualesquiera que sean las circunstancias, seguiré mi ideal.
5. Le veo cada dos meses.
6. Este chico tiene cierta frescura.
7. Bebe mucha cerveza y poca agua.
8. Tienes demasiada paciencia con él.
9. ¡ Cuántos errores antes de dar con la solución !
10. Alguien llama a la puerta. ¿ Será alguno de tus amigos ?

82. Traduction de « on ».

1. A lo lejos se veían los faros de un coche.
2. Uno necesita a menudo divertirse.
3. Me lo han dicho, me lo han repetido.
4. ¡ Escriben tantas cosas en los periódicos !
5. Se construyen más coches cada año.
6. Uno no puede estar en todo a la vez.
7. Se necesitan albañiles.
8. Ayer, con unos amigos, fuimos al cine.
9. Se oyen ruidos en la calle, pero no se sabe de dónde proceden.
10. Se oyen estudiantes ; se les oye tocando la guitarra.
11. Nos hemos encontrado con tus padres en el mercado.

12. Se distinguen los coches cerca de la tribuna y se les imagina dispuestos a marchar.
13. Una no puede saberlo todo, decía mi madre.
14. Se vio que los niños se acercaban al río ; se les llamó para que volvieran.
15. Se come tarde en España.

83. Adverbes de lieu.

1. Esta es la casa donde nací.
2. Esta puerta se abre hacia (afuera) adentro.
3. ¿ Sabes dónde he dejado mis gafas ?
4. Se dirigieron hacia donde habían oído ruidos.
5. América está lejos, más allá del mar.
6. Su novio la esperaba siempre bajo su balcón.
7. Habían puesto sus maletas encima del armario.
8. Aquí tienes el dinero que te debía.
9. Ven acá, cerca de mí.
10. El gato se refugió detrás de las cortinas.
11. Frente a la iglesia está la carnicería.
12. El perro iba siempre tras su amo.

84. Adverbes de temps.

A. 1. El hijo del panadero no atiende nunca a los clientes.
2. Es mejor que hagas ahora lo que no podrás hacer mañana.
3. Los recién llegados fueron acogidos con alegría.
4. En nuestra familia, sólo vamos al teatro de vez en cuando.
5. No me gusta acostarme tarde.
6. Nunca he robado, ni una vez.
7. Los campesinos suelen levantarse temprano.
8. Mientras dormimos, los serenos vigilan nuestro barrio.
9. Anoche miré la televisión hasta las once y hoy estoy cansadísimo.
10. Hoy es martes a 21 de marzo ; pues pasado mañana será el 23.
11. Hace poco tiempo, muy recientemente, hubo un accidente en esta bocacalle.
12. Te lo prometo, papá : en adelante trabajaré mucho más.

B. 1. los trenes recién llegados.
2. el suelo recién limpiado.
3. al niño recién nacido.
4. Tu casa recién pintada.
5. este libro recién leído.
6. la nueva Casa Consistorial, recién inaugurada.
7. La película recién estrenada.
8. Los ancianos recién condecorados.

85. Adverbes de manière.

1. El poeta recitaba lenta y pausadamente.
2. El chófer conduce rápida pero prudentemente.
3. Mi abuelo explicaba las cosas tranquila y firmemente.
4. Este chico trabaja inteligente y claramente.
5. El payaso gesticulaba torpe aunque graciosamente.
6. Salió majestuosa pero apresuradamente.
7. Sabe organizar su negocio eficaz, tranquila y hasta amablemente.
8. Me contestó el hombre irónica pero humorísticamente.
9. El señor cura nos saludó cortés y familiarmente a la vez.
10. Hay que actuar en la vida leal y dignamente.
11. Los cazadores avanzaron entre la maleza prudente, lenta y atentamente.
12. El fontanero reparó la tubería concienzuda, cuidadosa aunque febrilmente.

86. Adverbes de quantité et de comparaison.

1. Apenas aparece su mamá cuando el niño se pone a reír.
2. Nunca hay que leer un libro a medias.
3. Estaba medio muerta de frío.
4. Una hora más, eso sería demasiado para terminar esta tarea.
5. Pero dejadnos siquiera unos minutos para las correcciones.
6. Este señor gordo tiene a lo menos diez kilos de más.
7. De puro numerosos, no pudieron entrar en el teatro.
8. Señores, sois demasiado fuertes para mí.
9. Las reglas de este juego son demasiado difíciles, y tengo poca paciencia.
10. La ventana del balcón estaba medio abierta, hacía mucho calor y hasta demasiado calor.
11. A puras repeticiones los problemas les parecieron bastante fáciles.
12. Que haga mucho calor o que haga mucho frío, está siempre muy cubierto.

87. Différentes traductions de la négation.

1. ¿Nunca viajaste en avión?
2. Lo que pasó, nadie lo sabe.
3. Nunca se ponía el sol en el imperio de Carlos Quinto.
4. El chico se escondía para que ninguno de sus compañeros lo viese.
5. Nada comprendo; tampoco tú (ou : tampoco comprendes tú).
6. No ha trabajado en su vida.
7. No quiso darle ni un céntimo.
8. A este señor no le interesa nada.
9. Tampoco aceptó que alguien le acompañase.
10. Ahora, no cree nadie en la existencia de las brujas.
11. No podré olvidar jamás la alegría de aquel día de boda.
12. No me miró siquiera a la cara.
13. Lo que has hecho, ninguna mujer lo haría.
14. A nadie dirigieron la palabra; a usted no le hicieron caso tampoco.
15. A ningún miembro de la familia quiso hablar.

88. Adverbes d'affirmation et de négation.

A. 1. No puedo dormir de noche sino de día.
2. No me gusta el cine sino el teatro.
3. No sólo apreciamos la música clásica sino también la zarzuela.
4. No practicamos el fútbol sino que preferimos el tenis.
5. A toda la familia no le encanta la montaña sino el mar.
6. Me aburro bastante en la playa, pero iré a orillas del mar con mis amigos.
7. No sólo me disgusta el mundo sino que también odio el ruido y la animación.
8. No suele beber vino; pero sí le gusta saborear una copa de aguardiente.
9. No llegaremos el lunes sino el martes.
10. No llegaremos el lunes sino que preferimos llegar el martes.
11. No hacía mucho frío, pero la lluvia comenzó a caer por la tarde.
12. No lee novelas de aventuras sino revistas científicas.

B. 1. Sólo tendremos quince días de vacaciones.
2. Ha prometido que no fumaría más.
3. Ni siquiera hemos tenido tiempo para apretarles la mano.
4. ¿Nos acompañarás al circo? — Que sí.
5. Ya no iremos a la piscina, el agua está demasiado fría.
6. No puedo tragar más; he comido demasiado.
7. Más vale tomar tiempo que no cansarse.
8. No iremos al pueblo para Todos los Santos sino para Navidad.
9. Ni contestó a mi carta.
10. No vuelvas nunca más.

89. Conjonctions de coordination.

1. Lunes y martes.
2. Suegra y yerno.
3. Blancos e Indios.
4. Un día u otro.
5. Blanco o negro.
6. Viuda o huérfano.
7. ¿ Por qué haces eso ?
8. Porque eso me gusta.
9. Pregúntale el porqué y el cómo de su actitud.
10. Pues, adiós, niños.

90. Conjonctions de subordination.

1. E	6. B	11. H	16. L
2. P	7. T	12. N	17. C
3. J	8. R	13. D	18. Q
4. G	9. K	14. F	19. O
5. M	10. A	15. S	20. I

91. Emploi particulier de « aunque ».

A. 1. Aunque eran muy jóvenes, tenían ya mucha experiencia.
2. No podríamos llegar a tiempo aunque nos levantáramos temprano.
3. Aunque me lo pidas de rodillas, nunca haré una acción tan mala.
4. Hacían muy poco ruido aunque eran muy numerosos.
5. Aunque parece tímido, este niño sabe lo que quiere.
6. Seguía mirando la televisión aunque no le gustaba el serial.
7. Aunque insistiéramos, estamos seguros de que él no vendría.
8. Aunque llovía a cántaros, había mucha gente en la calle.
9. Sigue escribiéndoles aunque no le contestan nunca sus amigos.
10. No va nunca a misa aunque es un buen católico.
11. Nunca iré a ver esta película aunque insistas para que yo la vea.
12. Aunque había comido mucho, quería seguir comiendo.
13. No creo que haya una guerra aunque lo dicen los periódicos.
14. Nunca iré a Inglaterra aunque me acompañen muchos amigos.
15. Aunque me lo dijeran personas serias, yo no lo creería.

B. 1. Aunque es una mujer bastante pobre, vive convenientemente.
2. Yo no quisiera tener su oficio aunque me pagara diez veces más.
3. Aunque estaba prohibido, la gente fumaba en la sala de cine.
4. Aunque vayas a la ciudad en coche, no tardarás menos de una hora.
5. No te enfades, aunque sigue irritándote.
6. Aunque había mucha gente en las calles, había poca alegría.
7. No contestes aunque te provoquen.
8. Aunque estamos a principios de mayo, el tiempo está muy fresco todavía.
9. Aunque lo supiéramos, no te lo diríamos.
10. Aunque se las da de inteligente, tiene mucho retraso en sus estudios.

108-109. Haber - Tener.

1. Nos hemos divertido en la feria.
2. Hubo que insistir para que viniera.
3. Habrá nieve esta noche.
4. Tienes que salir para el colegio antes de las ocho.
5. Ahí están las maletas, las tenemos preparadas.

6. Me gusta la canción que usted ha interpretado.
7. Para el juego del hombre, cada jugador ha de tener nueve cartas.
8. Mira las manchas que has hecho.
9. ¡Henos aquí! Nos hemos dado prisa para venir.
10. Habrá mucho sol para Pascuas.
11. Habrá que conducir con prudencia.
12. Tendremos que conducir con prudencia.
13. Se ha herido gravemente con su cuchillo.
14. ¡Ya está! Tengo hechos mis ejercicios.
15. Habrá habido muchos accidentes durante estas vacaciones.

110-111. Ser - Estar.

1. es. - 2. es. - 3. estemos. - 4. está. - 5. es. - 6. somos/estamos. - 7. era. - 8. es/está. - 9. somos. - 10. es/es. - 11. estamos/es. - 12. estuvo. - 13. sois/somos/somos. - 14. es/es. - 15. es/es/es. - 16. es/está. - 17. sois/sois. - 18. estoy. - 19. están/están. - 20. es.

112. Ser ou Estar + adjectif.

1. es/es. - 2. es/es/es. - 3. está. - 4. estamos. - 5. somos/estás. - 6. es/está. - 7. estaba/estaba. - 8. es/es. - 9. está/es/está. - 10. estoy/estoy. - 11. es. - 12. es/es. - 13. estoy/es. - 14. es/sean. - 15. ser/está. - 16. fue/estuvieron. - 17. está/están. - 18. era/es. -19. están/está. - 20. será/estaremos.

113. Ser ou Estar - Participe passé.

1. fue construída/está hecha.
2. fue pronunciado/estaba un poco emocionado/fue aplaudido.
3. están protegidas.
4. fueron firmadas/ser llevadas.
5. estuvo cavado/fue bajado.
6. está puesta/está servida.
7. está cerrada/ha sido cerrada.
8. ser felicitados/serán premiados.
9. será bendecido/ser llevado.
10. está enamorado.
11. fue visto/fue detenido.
12. había sido acumulado/estaba disimulado.
13. fue castigado/estaba afligido.
14. es apreciado.
15. está prohibido.
16. ha sido aprobada/está aprobada.
17. son vendidos.
18. estaban fijadas.
19. fue repetido.
20. está echada.

110-111-112-113. Emploi de Ser et de Estar.

A. 1. La Casa de Diputación está rematada por un pararrayos.
2. La novela fue premiada por la Academia.
3. Mi tía Luisa es profesora de inglés.
4. Una cigüeña está anidada en el campanario.
5. Carlos Primero era un monarca muy poderoso.
6. Esta carta está escrita en alemán.
7. Guernica fue bombardeada durante la guerra.
8. El doctor del pueblo está siempre muy ocupado.
9. Las pistas de tenis están a la salida del pueblo.
10. Esta noche en casa somos cinco para cenar.

B. 1. estás. - 2. está/está. - 3. sea. - 4. es/estoy hecho. - 5. están/están. - 6. estoy/es. - 7. estar/es. - 8. sea. - 9. fue. - 10. ha sido. - 11. estés. - 12. serás. - 13. fue. - 14. es. - 15. estás/estás. - 16. están/estaremos. - 17. estar/es. - 18. somos/estamos. - 19. son/están. - 20. ha sido/ha sido.

C. 1. era. - 2. está. - 3. es. - 4. es/está. - 5. era/es/son/están. - 6. estuvieran. - 7. estamos/soy. - 8. es/fue. - 9. estaba. - 10. es/estaba.

D. 1. Somos amigos.
2. Hoy es el santo de Pablo.
3. Estoy encantado de encontrarte.
4. Estábamos durmiendo.
5. No eres de este siglo.
6. Tu trabajo es un desastre.
7. Este empresario está muy ocupado.
8. Somos felices, estamos de vacaciones.
9. Estás contento de tu suerte.
10. Ha sido llamado al teléfono.
11. ¿ Estarás en casa mañana ?
12. Esta música está de moda.
13. Es un aire conocido.
14. Está nervioso cuando está borracho.
15. Es activo y nervioso.
16. Erase una vez una mala bruja.
17. Los carteros están descontentos ; están de huelga.
18. No eres tú el más fuerte.
19. ¡ Ya está ! El Presidente está elegido.
20. Los impuestos sólo serán exigidos dentro de un mes.
21. Leningrado es el nombre antiguo de San Petersburgo.
22. Ha sido fundado por Pedro el Grande.
23. El agua está caliente, es para tu té.
24. No estés impaciente, no es tarde.
25. Está avergonzado porque no es el primero.

115. L'infinitif.

1. Por estar de buen humor, reía a carcajadas.
2. Con practicar muchos deportes, desarrollamos nuestros músculos.
3. De tolerar tal injusticia, no seríamos buenos ciudadanos.
4. Se vio un gran fulgor en el cielo al estallar la bomba.
5. Le han fusilado por haber traicionado su patria.
6. Después de terminar la carrera, se dedicó al periodismo.
7. Todo el pueblo aplaudió al pasar el coche de los recién casados.
8. De avisarme antes, yo les habría preparado una habitación.
9. Con parecer tan tranquilo, disimula un temperamente muy vivo.
10. Tras haber hablado dos horas seguidas, tenía la garganta sequísima.
11. Con ser tan astuto, fracasó totalmente en su proyecto.
12. De no hacerlo tú, nadie lo hará.
13. Con tomar solamente este jarabe se acaba tu tos.
14. Quiso terminar la tarea por parecerle muy fácil.
15. Niños, ¡ a salir ! ¡ a pasear !
16. Desde hacía dos días los pobres estaban sin comer.
17. No estamos aquí para dormir.
18. De no repetírselo tú, él no habría comprendido.
19. De no ayudarme tú, no te ayudaré tampoco.
20. Al levantarse el día, los viajeros estaban lejos ya.

116. Le participe passé.

A. 1. Quien no ha visto a Sevilla no ha visto maravilla.
2. Creían a pies juntillas las noticias que venían impresas en el periódico.
3. Los ingenieros no han resuelto todos los problemas.
4. Sólo se había afeitado la mejilla izquierda.
5. Tenía afeitada la mejilla izquierda.
6. En la catástrofe varias personas resultaron heridas.
7. Volví tristemente a casa, perdidas mis ilusiones.
8. Han muerto cuatro Romanos y cinco Cartagineses.

B. 1. Los chicos tenían preparadas sus lecciones.
2. Muchos no tenían elegidas sus asignaturas.
3. Mi hermano tendrá terminados sus estudios dentro de dos años.
4. Tengo apuntadas las ideas principales del texto.
5. Tenemos guardadas unas cuantas botellas en la bodega.

C. 1. Vino hacia mí con las manos tendidas.
2. Muerto el perro, muerta la rabia.
3. El escritor llevaba escrita ya gran parte de su obra.
4. Con la boca abierta, me miró durante algunos segundos.
5. Quedó satisfecho de lo que le habían dicho.
6. Perdida la paciencia, gritaba como un loco.
7. Tengo escrita una carta de felicidades para mis abuelos.
8. Quedó absorto más de media hora.
9. Impresas las últimas líneas, los periódicos serán distribuídos.
10. Hechas las partes, el león habló así.
11. Resueltas las dificultades, se sintió feliz.
12. Vuelta la cabeza hacia la pared, quería esconder sus lágrimas.
13. Permaneció sentado una hora sin moverse.
14. Llevaron el preso a la cárcel con las manos atadas.
15. El Director andaba muy preocupado aquel día.
16. La camisa estaba envuelta en un papel con dibujos.
17. El cementerio se hallaba bastante alejado del pueblo.
18. La mujer yacía en la hierba, perdida la conciencia.
19. Dormía profundamente el dueño, puesta la cabeza en la mesa.
20. Dos soldados resultaron muertos en el combate.

117. Le gérondif.

A. 1. Las parejas seguían bailando aunque ya había cesado la música.
2. En muchas regiones va desapareciendo lo típico.
3. Desde hace años el campesino sigue labrando su pequeña porción de tierra.
4. Los soldados iban desfilando.
5. Siempre estás diciendo lo contrario de lo que digo.
6. El río va subiendo con las incesantes lluvias.
7. A pesar de sus años sigue practicando muchos deportes.
8. Estos colegiales van progresando.
9. A pesar de las contradicciones, el Diputado sigue leyendo su discurso.
10. El tiempo va cambiando.

B. 1. Estando ausente el profesor, no hemos tenido clase.
2. Estuvo todo el día leyendo una novela policíaca.
3. Me pasé el domingo paseando por el campo.
4. Estando roto el vaso, lo tuve que pagar.
5. Después de llorar mucho, acabaron sus deberes cantando.
6. Estuvieron divirtiéndose muchas horas en la feria.
7. Entraron en el cine haciendo ruido.
8. Durmiendo es como recobra sus fuerzas.
9. Me miró con sorpresa contestando a mi pregunta.
10. Transcurriendo los años, el niño se había hecho un hombre.

118. L'indicatif.

A. 1. El mes pasado me tocó la lotería.
2. La tecnología ha hecho progresos enormes desde el principio del siglo.
3. Hemos tenido mucha lluvia este fin de semana.
4. En 1889 construyeron la torre Eiffel.
5. Desde mi infancia hemos ido todos los años al mar.
6. Ayer mi hermano menor cayó y se hizo daño.
7. Hoy ha habido alzas importantes en la Bolsa.
8. En mi vida he trabajado tanto.
9. Hasta ahora no hemos recibido ninguna carta de ellos.
10. Recuerdo que aquel día salimos temprano para las vendimias.

B. 1. Por poco se cae al río.
2. Este señor tendrá más de cincuenta años.
3. Me pregunto cómo hará para llegar hasta aquí.
4. ¿Sabes cuántos seremos en esta reunión?
5. Son las ocho; habrá llegado el tren.
6. Te puedo asegurar que hará buen tiempo mañana por la mañana.
7. Por poco me corto con este cuchillo.
8. Ignoramos cuándo tendremos que estar listos.
9. Dime cuándo volverás.
10. Me pregunto si me acompañará.

C. 1. Joaquín mira para las calles del pueblo, estrechas e intrincadas. Para las viejas casas encaladas donde hay macetas de flores escarlatas. Para el rumor de las calles donde los niños alborotan. A las mujeres que, sentadas en la alberca, se saludan y ríen mientras esperan a llenar sus cántaras. Tienen cabellos oscuros, ojos hundidos en sus caras tristes que se adentran en el alma.

2. Pimentó suelta su acusación. Aquel hombre que está junto a él, tal vez por ser nuevo en la huerta, cree que el reparto del agua es cosa de broma y que puede hacer su santísima voluntad.

3. Con estas instrucciones teóricas y prácticas me creo ya capacitado para lanzarme por las calles y carreteras del ancho mundo y comparezco el día que me fijan ante el experto oficial que ha de negarme o concederme el carnet de conducir.
Contesto algunas preguntas, hago ciertas evoluciones.

4. « Tú no eres Artemio Cruz, no tienes setenta y un años, no pesas setenta y nueve kilos, no mides un metro ochenta y dos, no usas dientes postizos... no vistes esos trajes azules de tres botones, no prefieres la cachemira irlandesa, no bebes ginebra con tónico, no tienes un Volvo, un Cadillac, ... no recuerdas y amas ese cuadro de Renoir... »

5. Mosén Millán pide al monaguillo que le acompañe a llevar la extremaunción a un enfermo grave.
... El cura no quiere responder. Y siguen andando. Paco se siente feliz yendo con el cura.

D. a) Tú almuerzas unas ostras... Después enciendes un cigarrillo y te deleitas pensando en la felicidad que te procura...
Esa ostra se encuentra satisfecha en en fondo del mar. La primera contrariedad de su vida la experimenta cuando la extraen para ti de su natural elemento.

b) Tú almorzarás unas ostras... Después encenderás un cigarrillo y te deleitarás pensando en la felicidad que te procurará...
Esa ostra se encontrará satisfecha en el fondo del mar. La primera contrariedad de su vida la experimentará cuando la extraigan para ti de su natural elemento.

E. Le examinaron de arriba abajo, le sacaron radiografías, le pidieron cientos de análisis de sangre... Le pesaron, le midieron, le auscultaron, le tumbaron, le levantaron, se puso de un lado, de otro, de frente, de espaldas, dijo treinta y tres, respiró hondo, abrió la boca, sacó la lengua, entornó los ojos, giró la cintura, midió sus calorías, observó su metabolismo, se tomó el pulso, escuchó sus válvulas, sintió su circulación, no comió, no bebió, no fumó...

F. « ... las aguas envasadas estaban a veces plagadas de alegres colonias de microbios, y la del grifo no solía ser mucho más recomendable... Los aditivos contenidos en los panes permitían apenas conservar un vago recuerdo de uno de los alimentos básicos, la blancura de la carne se conseguía con hormonas... »

G. a) Don Abundio comenzó la mañana metiendo prisa a su mujer y a sus tres hijas. Al cabo de dos horas de estorbar, logró que las chicas estuvieran arregladas y la comida empaquetada.
Don Abundio agarró el primer atasco a la salida de la ciudad.
Cinco kilómetros le costó al coche hora y media. El coche se recalentó y don Abundio tuvo que sacarle a un andén para que se enfriara.

b) La ambulancia postal llegó a los cinco minutos y lo subieron a una camilla grande donde pudo tenderse a gusto. Le llevaron a la sala de radio. Alguien de blanco, alto y delgado se le acercó y se puso a mirar la radiografía. Sintió que lo pasaban de una camilla a otra. El hombre de blanco se le acercó otra vez, sonriendo, con algo que brilló en la mano derecha. Le palmeó la mejilla e hizo una seña a alguien parado atrás.

H. La sangre se nos agolpará a los oídos. Saldremos de la estación con el fardo del equipaje al hombro, torceremos por una senda sin necesidad de pasar por el pueblo, y empezaremos a caminar. Iremos tristes, muy tristes. Pasando cerca del cementerio, cogeremos miedo, un miedo inexplicable; nos imaginaremos a los muertos saliendo en esqueleto a mirarnos pasar. No nos atreveremos a levantar la cabeza; apretaremos el paso. Cuando lleguemos a nuestra casa estaremos rendidos.

I. Cuando el baile llegue a su apogeo, que será de nueve a nueve y media de la noche, el ruido de los pies y de las conversaciones será ensordecedor, y los magos del ritmo moderno, por más que se esfuercen, no se les oirá que desde muy cerca. El calor será sofocante, la gente sudará a chorros y no se podrá dar ni un paso.

119. Le conditionnel.

A. 1. Afirmaban los periódicos que el eclipse se produciría el 26 de este mes.
2. ¿Sabías cuándo nos darían una respuesta?
3. Era evidente que Juan vendría acompañado de su mujer.
4. Te prometimos que nunca más le volveríamos a ver.
5. No sabía todavía a qué hora llegarían.
6. Supuse que se habría metido en un atasco a la salida de la ciudad.
7. El doctor dijo que el enfermo estaría mejor.
8. Creía que habría que esperar con mucha paciencia.
9. Os repetía que tendríais que estar aquí a las siete.
10. Ignoraba quién pronunciaría el discurso.
11. Estaba seguro de que se pondría pantalones vaqueros.
12. El Rey declaró que abdicaría en su hijo.
13. Eran las ocho : mis padres estarían en casa.
14. El jefe de estación anunció que el tren tendría media hora de retraso.
15. Me pregunté si querría contestar a mi invitación.

B. 1. Jugaría al baloncesto si yo fuera más alto.
2. Si me tocara el gordo, me compraría una moto.
3. Por más que le suplicaras, estoy seguro de que él no cedería.
4. Me dolerían los pies si anduviera demasiado.
5. Si se presentase al examen, le suspenderían.
6. Por muy difíciles que fueran las pruebas, Antonio sabría vencerlas.
7. Este borracho seguiría bebiendo por más que le doliera la cabeza.
8. Si tuviera voluntad, yo dejaría de fumar.
9. No me disgustaría alojarme en un hotel de cuatro estrellas si fuera de viaje.
10. De todas formas, aunque me hubiese puesto un impermeable, estaría hecho una sopa.

120. L'impératif.

A. 1. ¡ Circulen ! ¡ No se detengan !
2. ¡ No entren ni salgan ! ¡ dejen salir !
3. ¡ No metas la mano ! ¡ No te muevas !
4. ¡ Ven aquí y no llores más !
5. ¡ Haz deporte, no trasnoches y ponte de vacaciones !
6. ¡ Siéntese ! ¡ no se moleste !
7. ¡ No ensuciéis el suelo ! ¡ No juguéis a la pelota ! ¡ Salid !
8. ¡ Sea el bienvenido ! ¡ Pase y sírvase !

B. 1. ¡ No os vistáis y no salgáis !
2. ¡ No vengas y no me escuches !
3. ¡ No me mires y no me respondas !
4. ¡ No grites y no te quejes !
5. ¡ No pierdas tu tiempo !
6. ¡ No les digas que vengan !
7. ¡ No se ponga usted a mi lado !
8. La respuesta, ¡ no me la des !
9. ¡ No os esforcéis por estar atentos !
10. ¡ No veas esta película !

C. 1. ¡ No escuchéis... !
2. ¡ No me digas... !
3. ¡ No me esperes... !
4. ¡ No seas bueno... !
5. ¡ No salgamos... !
6. ¡ No hable usted... !
7. ¡ No os acerquéis... !
8. ¡ No te pongas... !
9. ¡ No hagas... !
10. ¡ No juguéis... !

D. 1. ¡ Dejaos engañar ! ¡ Abandonad !
2. Este coche, ¡ condúcelo !
3. ¡ Diviértete ! ¡ Entretente !
4. Esta versión, ¡ tradúzcanla !
5. ¡ Dirigíos... !
6. ¡ Repetídselo !
7. ¡ Durmámonos !
8. ¡ Desuníos !
9. ¡ Traédselas !
10. ¡ Dígaselo !

E. 1. ¡ Vete sin avisarme !
2. ¡ Dirijámonos... !
3. ¡ Tome usted... !
4. ¡ Asomaos... !
5. ¡ Háblenle... !
6. ¡ Repíteme... !
7. ¡ Cerremos... !
8. ¡ Fijaos en... !
9. ¡ Pase usted... !
10. ¡ Hazle caso... !

121. Le subjonctif.

A. 1. F
2. C
3. G
4. A
5. J
6. I
7. H
8. B
9. E
10. D

B. 1. ¡ Ojalá me admitan en la clase superior !
2. Nos pidió que le contestáramos cuanto antes.
3. ¡ Que tengáis un buen viaje !
4. Le suplico que usted me eche una mano para reparar este motor.
5. Quizás les haya pasado algo grave.
6. No quisieron que les acompañáramos a la estación.
7. Me extraña que pueda afirmar tales barbaridades.
8. El cabo ordenó al soldado que barriese el patio del cuartel.
9. No está bien que salgas con este traje tan sucio.
10. ¡ Ojalá no hubiera bebido tanto !

122. L'imparfait du subjonctif.

A. 1. El doctor insistió para que hiciéramos (hiciésemos) ...
2. Dudaba que Gerardo consiguiera (consiguiese) ...

3. Era probable que el cartero hubiera (hubiese) pasado ya.
4. Sentí (sentía) mucho que no pudieras (pudieses) ...
5. No pude (podía) admitir que me contestaras (contestases) ...
6. Quise (quería) terminar esta versión antes de que anocheciera (anocheciese).
7. Me extrañó (extrañaba) que la secretaria no estuviera (estuviese) ...
8. Estuvimos (estábamos) satisfechos con tal que nos dejaran (dejasen).
9. Te esperé (esperaba) hasta que fueran (fuesen) ...
10. Le rogué (rogaba) que recibiera (recibiese) ...
11. Busqué (buscaba) un intérprete que supiera (supiese) ...
12. Te invitamos (invitábamos) ... a no ser que estuvieras (estuvieses) ...
13. No soporté (soportaba) que volvieras (volvieses) ...
14. Fue (era, sería, ...) ... para que fueras (fueses) ...
15. Me temí (temía) que vinieran (viniesen) ...
16. Fuiste (ibas) a pedirles que trajeran (trajesen) ...
17. Fue (era) normal que te pusieras (pusieses) ...
18. El Director deseó (deseaba) que usted fuera (fuese) ...
19. Me pareció (parecía) increíble que anduvieras (anduvieses) ...
20. Me gustó (gustaba) que usted se sintiera (sintiese) ...

B. 1. Había adelantado mucho desde que llegara a Sevilla.
2. ¡Quién tuviera una buena salud!
3. El trayecto era mucho más corto de lo que creyera.
4. Quisiéramos pedirte el favor de acompañarnos.
5. Si hubiera tenido más tiempo, me hubiera quedado unos días más en su chalet.
6. El aprendiz intentó hacer lo que le dijera el amo.
7. ¡Quién supiera cantar!
8. Castigó finalmente al que amara.
9. Quisiera haber escrito esta novela.
10. Dijérase que el tiempo iba a cambiar.

C. 1. Haré como si nunca lo hubiese sabido.
2. Trabaja mejor solo que si se le ayudara.
3. El tiempo es peor que si estuviésemos en invierno.
4. Gana menos dinero trabajando que si estuviera parado (en paro).
5. Es más fuerte que si hubiera comido espinacas.
6. Grita como si le degollasen.

123. La proposition subordonnée.

A. 1. Los campesinos tienen que remover la tierra para que haya cosechas.
2. ... tuvieron ... hubiera...
3. Hay que cortar mucha leña para que la chimenea caliente la sala.
4. Había que ... calentase...
5. Hace falta cuidar los árboles para que los frutales no se marchiten.
6. Hacía falta ... se marchitasen.
7. Es necesario tener mucha lluvia para que el trigo crezca.
8. Era necesario ... creciera.
9. La azafata hace muchos esfuerzos para que los pasajeros estén satisfechos.
10. ... hacía ... estuviesen...
11. El médico propone una receta audaz para que el enfermo recobre la salud.
12. ... propuso ... recobrase...
13. Los investigadores se afanan para que el cáncer desaparezca.
14. ... se afanaron ... desapareciera.

B. 1. El maestro me aconseja que yo lea mi ejercicio y que lo haga de nuevo.
2. Nuestros amigos nos dijeron que viniéramos lo antes posible y nos diésemos prisa.
3. Le suplico que usted tenga cuidado y no pise las flores del jardín.
4. Te aconsejamos que sueltes los hilos del teléfono y obedezcas pronto.
5. Emilio nos dijo con sorna que nos acercásemos y le cogiéramos.

6. Mamá nos prohibió que dijéramos cosas tan feas.
7. Ya te dijimos que te divirtieras y no nos molestaras.
8. El cliente nos rogó que le contestásemos a vuelta de correo y no tardásemos.
9. Te digo una vez más que te sientes y no te muevas más.
10. Nos avisó el policía que nos pusiéramos el cinturón de seguridad y circulásemos.
11. Nuestros amigos nos sugieren que vayamos a la estación y les sorprendamos.
12. Nos recomendó el vendedor que le comprásemos el televisor. Era barato.
13. Alberto nos propone que vayamos con él al cine y no le dejemos solo.
14. El maestro ordenó a sus alumnos que se levantasen y saliesen.
15. Te suplico que hagas menos ruido.

C. 1. Nos escribieron : ¡ Contéstennos por correo y telefonéennos !
2. En el Metro se aconseja a los viajeros : ¡ No empujen ! ¡ Dejen salir !
3. El ama de casa ordenó a la chica : ¡ Barra el comedor ! ¡ Haga la limpieza !
4. El Director de Ventas prohibe a sus empleados : ¡ No fumen en mi despacho !
5. El empresario pide a su secretaria : ¡ Prepáreme el informe para mañana !
6. Su novia sugiere a Pedro : ¡ Ven conmigo a hacer algunas gestiones oficiales !
7. El turista extranjero me rogó : ¡ Indíqueme dónde está la calle de Alcalá !
8. Mis padres me recomendaron : ¡ No se te olvide escribirnos !
9. Propusimos a nuestro cuñado : ¡ Ven a cenar a casa !
10. El mendigo nos pide : ¡ Denme una limosnita !
11. Los pobres viajeros suplicaron a los ladrones : ¡ No nos maten ! ¡ Déjennos irnos !
12. Dice el médico a su cliente : ¡ Siéntese y abra la boca !
13. Le ruego al Director : ¡ Sírvase concederme una entrevista !
14. Los fideles pidieron al obispo : ¡ Dénos su bendición !
15. La publicidad aconseja a los teleespectadores : ¡ Compren y consuman !

D. 1. Te ruego que me escuches.
2. Le dijimos que viniera.
3. No te muevas antes de que vuelva tu padre.
4. Insistió para que le diera la información.
5. No estábamos seguros de que nos hubiera dicho toda la verdad.
6. Diles que no insistan.
7. Sería extraño que no nos escribiese.
8. No estoy contento de que hayas estropeado tu bicicleta.
9. Habíamos lamentado mucho que no hubieran venido.
10. No puedo tocar el piano sin que mis vecinos regañen.
11. Nos mandarás una carta cuando hayas llegado.
12. Se dará una buena nota a quien conteste mejor.
13. Mientras haya vida, habrá esperanza.
14. Puedes salir con tal que te cubras bien.
15. Sería lamentable que no hicieras un mínimo de esfuerzos.
16. Te harás más fuerte a medida que crezcas.
17. Saldré de vacaciones en cuanto mis problemas estén resueltos.
18. El último que salga cerrará la puerta.
19. Habían dicho que el que hablase sería castigado.
20. ¡ Ojalá no haya embotellamientos !

E. 1. D
2. H
3. I
4. F
5. B
6. J
7. A
8. G
9. C
10. E

123 bis. L'hypothèse dans la proposition subordonnée.

A. 1. Te llamaré cuando te necesite.
2. El taxista llegará en cuanto las maletas estén preparadas.

3. Haré como quieras.
4. Haré mis compras en la tienda que me proponga los mejores precios.
5. Al primero que se mueva, lo freiré.
6. Te esperaré donde haya poco sol.
7. Haremos lo que nos dé la gana.
8. Mientras duerma el niño, su mamá le preparará su papilla.
9. Apenas se levante el sol, los labradores saldrán para el campo.
10. Todos levantarán la vista tan pronto como la chica se asome al balcón.
11. Luego que llegue la primavera brotarán las violetas.
12. El empresario contratará al primer obrero que se presente.
13. Todo lo que hagas por mí me conmoverá.
14. Quien vaya a Sevilla perderá su silla.
15. Me dolerá el hígado cuando coma demasiado chocolate.

B. 1. Te llamaría cuando te necesitara.
2. El taxista llegaría en cuanto las maletas estuvieran preparadas.
3. Haría como quisieras.
4. Haría mis compras en la tienda que me propusiera los mejores precios.
5. Al primero que se moviera, lo freiría.
6. Te esperaría donde hubiera poco sol.
7. Haríamos lo que nos diera la gana.
8. Mientras durmiera el niño, la mamá le prepararía su papilla.
9. Apenas se levantara el sol, los labradores saldrían para el campo.
10. Todos levantarían la vista tan pronto como la chica se asomara al balcón.
11. Luego que llegara la primavera brotarían las violetas.
12. El empresario contrataría al primer obrero que se presentara.
13. Todo lo que hicieras por mí me conmovería.
14. Quien fuera a Sevilla perdería su silla.
15. Me dolería el hígado cuando comiera demasiado chocolate.

C. 1. Me lo contarás cuando vengas a verme.
2. No vacile Vd en decírmelo tan pronto como lo sepa.
3. Podéis subir a los árboles con tal que no los estropeéis.
4. Cuando yo me muera, enterradme en el cementerio de mi pueblo.
5. Iremos al museo del Prado en cuanto lleguemos a Madrid.
6. Cuando crezcan los árboles, darán sombra.
7. Daré la información a quien me la pida.
8. Luego que enciendas la luz, correrás las cortinas.
9. Iré tomando apuntes conforme Vd me lea el documento.
10. De buena lo explicaría a quien me lo preguntara.
11. Aumentaría el capital a medida que los suscriptores ahorrasen.
12. Créeme, iría contigo adonde quisieras.
13. Mientras tocasen los músicos, bailaríamos.
14. Me devolverías el dinero tan pronto como yo lo necesitara.
15. Por la mañana iríamos a la playa tan pronto como amaneciera.

D. 1. Le esperaremos en el andén cuando llegue el tren.
2. Brindaremos por él en cuanto haya acabado su discurso.
3. Mientras haya vida, habrá esperanza.
4. Me decía que me ayudaría cuando tuviese tiempo.
5. Comprarás las mejores patatas que encuentres en el mercado.
6. Repetía que descansaría luego que la temporada estuviese acabada.
7. El perro obedecerá a todas las órdenes que le des.
8. El primero que hable será castigado.
9. Sacaremos el barco tan pronto como amaine el viento.
10. Haría con placer cuanto me pidieras.

125. La phrase conditionnelle.

A. 1. Si le diera a Vd estos zapatos, yo perdería dinero.
2. Si lloviera siempre como hoy, Aldeaseca no se llamaría Aldeaseca.
3. Si pudiera soportar el clima del altiplano, iría al Perú.
4. Si tu abuelo hubiera visto esta libreta, se habría muerto en el acto.
5. Si construyesen buenas carreteras, los turistas vendrían como moscas.
6. Si lo supiera, te lo diría.
7. Si visitaras a Granada, verías lo hermosa que es.
8. No te preguntaría nada si me dijeras la verdad.
9. Claro que podrías comprender si lo quisieras.
10. Si me diera la oportunidad, saldría a torear.
11. Te harías mucho daño si te hirieras con este cuchillo.
12. Daría algunos pasos por el parque si me sintiera mejor.
13. España sería un país muy rico si produjera petróleo.
14. Podríamos ir a la piscina si trajeras tu traje de baño.
15. Si anduviera en los trigales, el campesino no estaría contento.

B. 1. Si estuviera reparado el coche, saldríamos a la sierra.
2. Si se nos escapara el perro, sería difícil atraparlo.
3. Habría embotellamientos si los camioneros se declarasen en huelga.
4. Tendrías que hacer autostop si perdieses el tren.
5. Te estaría muy agradecido si me pudieras prestar algún dinero.
6. No tendrían lugar los campeonatos de esquí si no cayera bastante nieve.
7. Haría muchos errores si tradujera esta versión.
8. Sería capaz de cualquier locura si se pusiera a beber.
9. Si pudieras alcanzar aquel cuadro, me lo descolgarías.
10. Llegaríamos tarde si anduviéramos tan lentamente.

C. 1. Si estuviera de mal humor, a nadie hablaría.
2. Me haría un vestido si cosiera bien.
3. Si tuviéramos una buena vista, conduciríamos un coche.
4. Si excitara el perro del vecino, me mordería.
5. Si quisieras ser elegante, te pondrías una corbata.
6. Si fuéramos al circo, los payasos nos harían reír.
7. Si trajeras tu guitarra, podríamos cantar.
8. Si anduviéramos entre los helechos, tendríamos miedo a las serpientes.
9. Si fuésemos cuatro, jugaríamos a las cartas en el salón.
10. Verías todo Mexico si subieras a la torre Latinoamericana.

D. 1. Como me sobre tiempo, echaré una siesta.
2. ¡Siéntate un momento como te sientas cansado!
3. Los equipos se encontrarán otra vez como haya empate.
4. El torero hará una buena faena como no sea manso el toro.
5. Como quieras ver mejor. ¡acércate!
6. Los ancianos se quedarán en casa como nieve demasiado.

126. La proposition concessive.

A. 1. Por muy cansados que estaban, ...
2. Por muchos obstáculos que se presenten, ...
3. Por muy activo que fuera, ...
4. Por más que hagas, ...
5. Por muchas actividades que tenía, ...
6. Por muy mala que es ...
7. Por mucho que protestases, ...
8. Por muchas necedades que afirmaba, ...
9. Por más que se agite, ...
10. Por mucho que le suplicaras, ...

11. Por muchos atascos que le retrasaban, ...
12. Por más que le mime su madre, ...
13. Por más que tuviera cien años, ...
14. Por muy tacaño que es, ...
15. Por mucho calor que hacía, ...

B. 1. no podrías soportar tal retraso.
2. no podías soportar tal retraso.
3. no podrás soportar tal retraso.
4. no puedes soportar tal retraso.
5. seguía desobedeciéndole.
6. seguiría desobedeciéndole.
7. acabó por desanimarse.
8. nunca querrá agradecértelo.
9. no lo conseguirías.
10. su mujer le ama con mucho cariño.
11. su madre se los perdonaría.
12. él progresará poco.
13. Einstein sabía resolverlas.
14. llegaría demasiado tarde.
15. llegará demasiado tarde.

127. L'affirmation, la cause, la conséquence.

A. 1. Me da mucha pena que haya muerto. (subj.)
2. Nos prometen que vendrán. (ind.)
3. Está bien que sea así. (subj.)
4. Estoy seguro de que escribirán. (ind.)
5. No estoy seguro de que escriban. (subj.)
6. Te digo que te calles. (subj.)
7. Te digo que son las cuatro. (ind.)
8. Es normal que sea el más fuerte. (subj.)
9. Era evidente que aceptarían. (cond.)
10. Ignoro quién actúa (actuará) en esta película. (ind.)
11. Yo contestaría mal a quien me hablara mal. (subj.)
12. Nos esperaron hasta que salimos. (ind.)
13. Nos llevaremos bien ya que somos amigos. (ind.)
14. No sabíamos por dónde pasarían ellos. (cond.)
15. Solía madrugar si estaba de vacaciones. (ind.)

B. 1. Saldré puesto que hace buen tiempo.
2. No saldré hasta que haga buen tiempo.
3. Sé que es la una.
4. No sé qué hora es.
5. Si tú vinieras, estaría contento.
6. No sé si tú vendrás.
7. No sabía si tú vendrías.
8. Si tú vienes, estaré contento.
9. Hacía tanto frío que me quedé en casa.
10. Ignoro quién actúa en esta película.
11. Yo contestaría mal a quien me hablara mal.
12. Nos esperaron hasta que salimos.
13. Nos llevaremos bien ya que somos amigos.
14. No sabíamos por dónde ellos pasarían.
15. Solía madrugar si estaba de vacaciones.

121 à 127. Petite révision.

1 - 3	6 - 3	11 - 1	16 - 2
2 - 1	7 - 4	12 - 3	17 - 1
3 - 2	8 - 1	13 - 3	18 - 2
4 - 1	9 - 1	14 - 4	19 - 4
5 - 3	10 - 1	15 - 1	20 - 3

128. La notion d'obligation.

1. Hay que comer para vivir.
2. Tengo que trabajar para comer.
3. Sería necesario que me escribieses.
4. Debo respetar a los ancianos.
5. Deben de ser las seis.
6. Has de saber que Pablo está enfermo.
7. Es de ver esta exposición.
8. Hubo que actuar con prudencia.
9. Debo cien pesetas a mi primo.
10. Sería necesario que me hiciese vacunar.
11. Hace falta tener petróleo.
12. Tendréis que estar aquí a las cinco.

129. Différents aspects de l'action.

A. 1. Solíamos mirar el serial del lunes.
2. Intentaré llegar (= trataré de llegar) a tiempo la próxima vez.
3. Volvió a leer (= leyó otra vez) la carta de su tío.
4. Tu colega acaba de telefonear.
5. Después de tanta lluvia el patio se ha convertido en una verdadera charca.
6. El antiguo cartero ha llegado a ser alcalde de su pueblo.

B. 1. En otoño, las hojas de los árboles se vuelven amarillas.
2. Frente al león, el domador se puso verde de miedo.
3. La antigua Facultad se ha convertido en un verdadero zoco (= se ha vuelto un verdadero zoco).
4. En pocos meses, este niño se ha hecho un hombre.
5. La modesta Magerit del siglo XVI ha llegado a ser la capital de España.
6. Se puso nervioso cuando se dio cuenta de que su coche no estaba reparado.
7. Quiero hacerme duro frente a la realidad de la vida.
8. Haciéndose viejo, se ha vuelto muy pacífico.

130-131. Verbes impersonnels - Verbes affectifs.

A. 1. Hacía tres días que no había salido.
2. Ha habido tormenta esta noche,
3. Nevará o helará esta noche.
4. (A nosotros) nos toca jugar.
5. Se me había olvidado decirle, señora.
6. Me cuesta mucho escribir en este idioma.
7. Nos ocurrió (nos sucedió) una aventura asombrosa.
8. Se nos ocurrió entrar en un cine.
9. Se le antojó comprarse un sombrero tirolés.
10. Le dio por reír.

Impressions DUMAS - 42009 Saint-Étienne
N° d'imprimeur : 31007
Dépôt légal : Juin 1992
Dépôt légal 1re édition : 2e trimestre 1986
Imprimé en France